CW00551550

BIBLIOTECA
DE ENSAYO
4

# Cees Nooteboom

# Cómo ser europeos

**Traducción del francés:**
**Anne-Hélène Suárez**

## Ediciones Siruela

Título original: *De ontvoering van Europa*

Diseño gráfico: Gloria Gauger

© Cees Nooteboom, 1993

© De la traducción, Anne-Hélène Suárez

© De «La cuestión de Bruselas», Ana Torrent / *El Urogallo*

© Ediciones Siruela, S. A., 1995

Plaza de Manuel Becerra, 15. «El Pabellón»

28028 Madrid. Tels.: 355 57 20 / 355 22 02

Telefax: 355 22 01

Printed and made in Spain

# Índice

**Cómo ser europeos**

# Cómo ser europeos

# El rapto de Europa

¿Cómo se convierte uno en europeo? Para empezar, siéndolo, cualidad que se adquiere, por ejemplo, naciendo en los Países Bajos. Se podría conseguir, al parecer, el mismo resultado en Sicilia, en Prusia Oriental, en Laponia o en Gales, pero siendo, como soy, un europeo de tipo holandés, prefiero circunscribirme aquí a esta variedad. Convertirse en holandés es menos complicado de lo que se piensa. Quienquiera que esté dispuesto, en la persona de sus ancestros, a rechazar el asalto del mar, a secar las tierras, a dejarse gobernar durante la Edad Media por borgoñones, a trocar, ya en el amanecer de los tiempos modernos, ducados y condados por un conjunto de provincias y a federar éstas en una República de los siete Países Bajos unidos; quienquiera que tenga a bien guerrear contra España durante ochenta años, colonizar un archipiélago del otro extremo del mundo, defender unos cuantos restos de monopolio librando batallas navales con los ingleses (pueblo que, siglos después, conserva la amargura de cada derrota bajo forma de expresiones como *«double Dutch»*, *«Dutch uncle»* o *«going Dutch»*[1]; quienquiera que desee, Bátavo resucitado, dejarse enrolar un tiempo por un hermano de Napoleón en un sueño francés de grandeza imperial y, cien años más tarde, ser aniquilado durante cuatro años por ejércitos alemanes, no sin haber persistido, al mismo tiempo, en contar, comer arenque, comerciar, mantener seca su tierra y también, gracias a Dios, en pintar, inventar microscopios y relojes de péndola, en afinar el derecho marítimo y acoger a europeos de todos los orígenes expulsados de sus respectivos paraísos; quienquiera, por fin, que albergue las mejores intenciones respecto al resto del mundo, las proclame a diestro y siniestro y no pare hasta haberlas realizado, convencido de conocer el mundo mejor que el propio interesado, por haberlo practicado durante siglos y haber acumulado su conocimiento en calidad de comprador, vendedor, administrador y víctima; quienquiera, en una palabra, que acepte asumir la carga de ser a la vez muy, muy pequeño y un poquito grande, ése es holandés. Y por poco que su padre y su madre permanezcan en el sitio debido durante el perío-

---

[1] *To talk double Dutch:* hablar en chino, galimatías; *to talk to somebody like a Dutch uncle:* decir las verdades a alguien; *to go Dutch:* compartir gastos.

do prescrito, podrá incluso serlo de nacimiento y satisfacer entonces la primera condición requerida para ser europeo, y quizá también, en consecuencia, convertirse en uno.

«Unicidad» y «pluriformidad», he intentado hallar en mi vida la traducción de estos términos abstractos. Porque, si soy europeo (y espero empezar a lograrlo, a la larga, al cabo de sesenta años de trabajo encarnizado), eso significa sin duda que la pluriformidad europea influye en mi uniformidad holandesa. Si así es, y lo es seguramente en mi caso, quizá valga la pena comprobar si las etapas del proceso se dejan reconstituir. Si acabo de enumerar todo lo que mis ancestros han realizado o sufrido, no se trata de una simple *boutade*. ¿Acaso no es cualquier ciudadano, entre muchas otras cosas, un producto, un punto de convergencia, un receptáculo de su pasado nacional? Está, para expresar la idea de forma más paradójica, encaramado en la cúspide de una pirámide histórica, y debe, al mismo tiempo, mantenerla en equilibrio sobre su cabeza. Es a la vez imposible y obligado. El producto de la historia debe, conscientemente o no, cargar con esta historia. Está escrita en su carácter nacional, en su lengua, en su herencia social y cultural, y se trata aquí de una herencia que no se puede rechazar; ya se es algo antes de nacer; así fue como, el 31 de julio de 1933, me convertí, aparte de en un representante del sexo masculino, en un holandés del siglo XX. Me fueron necesarios muchos años para empezar a extrañarme por eso, considerando la infinidad de posibilidades distintas de tiempo y de lugar, y la posibilidad única de otro sexo. La *perplejidad* se encontraba en el seno de la actitud de Jorge Luis Borges respecto a la existencia y al mundo y, a decir verdad, no veo bien cómo podría ser de otro modo: con sus oropeles intercambiables, esas manifestaciones de predestinación lógica y de azar absurdo que determinan en el espacio y el tiempo nuestra individualidad, tan importante para nosotros y sin embargo tan efímera, parecen a veces más próximas de una forma de ficción que de lo que llamamos convencionalmente «realidad». Todos escribimos la novela de nuestra vida pero, por vías misteriosas, uno o más autores parecen haber puesto su granito de arena en la intriga con tanta indiscreción como autoridad.

He escrito en uno de mis libros que el recuerdo es como un perro que se acuesta donde le place, y eso se aplica, en cualquier caso, a mi propia vida. De mis primeros cinco años de ciudadanía holandesa, apenas recuerdo nada y me tentaría ver en ello la consecuencia de la estrepitosa conmoción que, el 10 de mayo de 1940, convirtió en europeo al niño de seis años que era yo: me refiero a la entrada de las tropas alemanas en mi país. Tampoco esto es una *boutade*, creo en este tipo de cosas, aunque haya tardado en darme cuenta de ello. Desde hace unos años, y para mi placer, vivo en Berlín varios meses al año, y tuve que esperar hasta ese momento para caer en la cuenta de que el alemán era el primer idioma extranjero que hubiera oído jamás y por eso mismo constituía la primera manifestación de la pluriformidad europea que se me hubiera presentado o, mejor dicho, que se me hubiera impuesto. Anteriormente, ya había sido admitido en el seno materno de la Iglesia católica romana, institución específicamente europea a pesar de sus pretensiones de universalidad. Bien es verdad que, dada mi temprana edad, no estaba yo *verdaderamente* presente en esa ceremonia, aunque me proporcione una singular satisfacción el pensar que las primeras palabras dirigidas por un desconocido a mi cabeza todavía calva hayan sido *latinas*, fórmulas escritas en esa lengua marmórea que revestiría un día tanta importancia para mí, matriz y genitora a la vez de todas las lenguas europeas cuya belleza, claridad y sensualidad polimorfas se convirtieron en el panorama intelectual de lo que leo y lo que oigo, sin que pueda en ningún momento acercarme tanto al misterio de las palabras como en mi irreemplazable lengua materna. Y es un homenaje rendido a la vez a la pluriformidad y a la unicidad el no poder expresar mejor la admiración y el amor por el francés, el catalan, el portugués, el castellano y el italiano que a través del idioma en que escribieron Hadewych, Ruusbroec, Vondel, Van Eeden, Multatuli, Couperus, Achterberg, Slauerhoff y muchos otros, cuyos pensamientos y poemas serán para ustedes letra muerta; ese idioma del que no podría prescindir ya que, sin él, el último matiz y la idea más recóndita no podrían encontrar su expresión.

Volvamos a Europa, a mayo de 1940. Heinkels y stukas bombardean el aeródromo de Ypenburg, cerca de mi casa, mi padre ha instalado una butaca en el balcón y contempla el espectáculo. En mi recuerdo, no dice palabra. Más tarde, se produce el bombardeo de Rotterdam, el horizonte teñido de rojo. El niño de seis años había sido presa de un temblor continuo, que intentaban erradicar lavándole la espalda con agua helada. Entre tanto, proseguía la redacción de la novela de mi vida, sin que pudiera yo hacer nada. Poco después, se oyó por la radio y en la calle el idioma en que un día leería a Hölderlin, Handke, Mann y Goethe y pronunciaría las palabras de mis discursos tras haberlas hecho traducir.

De la posguerra, recuerdo la desnudez y el vacío. Una vez más, alguien había intentado unificar Europa por coacción y, una vez más, la tentativa había resultado un fracaso, porque es imposible gobernar Europa según un esquema hegemónico. La pluriformidad no es digerible por un organismo único, es necesaria una alquimia completamente distinta y extremadamente misteriosa. No habíamos llegado a eso en aquella época y, según mi modesta opinión, seguimos sin alcanzarlo hoy en día, a menos que se atribuya al dinero el poder mitológico de arrogarse aquello a lo que las almas no están dispuestas; pero el alma es sin duda una categoría que actualmente dudamos en invocar, aunque sólo sea por su carácter intangible.

Mientras tanto, pasaba yo esos años vacíos en internados monásticos, una forma milenaria de establecimiento escolar, indisolublemente ligada a la historia de la civilización europea. Mis primeras lecturas de la prensa me enseñaron los apellidos de Adenauer y De Gasperi, de Thorez y Togliatti, de Franco y Salazar, de Stalin y Molotov, de Churchill y Eden, pero, al mismo tiempo, los monjes franciscanos y agustinos me contaban, a través de Homero, las aventuras de un hombre que no dejaría de interesarme, y yo leía, gracias a Ovidio (final del libro II, principio del libro III), la historia de los orígenes divinos de Europa, la historia del dios, tan enamorado de una hija de rey, que se transformó en toro y la raptó llevándola sobre su lomo. Los que ignoran o han olvidado algo del desarrollo de los hechos pueden remitirse al final del libro II. Blanco como la nieve «que ningún pie ha maculado con su huella» es el vellón del toro enamorado, sus cuernos son pequeños, pero de forma perfecta, como cincelados por mano de artista. Ya la virgen Europa no siente casi temor hacia él, «pronto se acerca y ofrece flores a su hocico níveo» *(mox adit et flores ad candida porrigit ora)*; bajo su disfraz, el divino amante está arrobado de felicidad y le besa las manos; ella se instala sobre su lomo y ya está, ya la *tiene*, se levanta, se dirige hacia el mar y desaparece con ella hacia la isla invisible: «trémula, su vestido ondula a tenor del viento...» *(tremulae sinuantur flamine vestes)*.

Fue «en aquella época». Hoy en día, Europa somos nosotros, y tendremos que raptarnos a nosotros mismos, lo cual requiere un poder mágico que las meras leyes, directivas y uniones monetarias no bastan para suscitar. Los que así lo creen no nos conocen, y al decir «nos» entiendo, curiosamente, que no se conocen a ellos mismos.

¿Qué más me enseñaron los buenos hermanos? Mientras en Nuremberg se emprendía la liquidación psíquica y física del horror, aprendía yo la historia nacional y europea sin la cual, en virtud de la posología vienesa, no se reconocería, o sea no se conocería, uno mismo, ni en su unicidad holandesa ni en su pluriformidad europea. Pero me enseñaron más cosas: de repente, cantidades infinitas de palabras y de sintagmas extranjeros se apiñaron para penetrar en los almacenes vivos de mi cerebro, palabras no sólo latinas o griegas, sino también francesas, alemanas e inglesas. En su mayor parte, espero, permanecen allí todavía. Al principio, no eran más que palabras; más tarde, se aglomeraron en construcciones, textos, poemas, relatos, filosofías, y cada palabra nueva me transvasaba un poco de ese sistema totalizante de afectos, de modos de pensamiento, de carácter y de historia que cada una de esas lenguas extranjeras lleva intrínsecos, pero en mis esfuerzos balbucientes para articular esa alteridad que encierran los signos lingüísticos, ya entonces entendía, creo, toda su inadecuación. Había en ello una pluriformidad soñada, pero de dos dimensiones; las palabras no eran libres, no vivían en su hábitat natural, en estado salvaje; el león era un león de verdad, pero sin desierto a su alrededor; eran palabran aprisionadas en la jaula del diccionario, de la sintaxis, de la gramática; si de verdad quería aprender a conocerlas, tenía que ir a verlas *in situ*, en su lugar de origen, tenía que irme de viaje.

Desde entonces, no he cesado de estar de viaje; pero un día hubo ese primer comienzo, un niño que se coloca al borde del camino, que alza la mano y se va para descubrir la pluriformidad de los demás, primero hacia las lejanías misteriosas y elusivas de los bosques suecos, hacia el cabo Norte donde Europa parece perderse y verterse en la inmensidad desértica del polo; luego, con un choque de reconocimiento cuya vibración me atraviesa todavía hoy, hacia el sur mediterráneo, el de Provenza e Italia, hacia la Europa sonora, centelleante, teatral, tan liviana de aspecto, que no deja de atraer a veces y otras de repeler al nórdico, hasta el punto en que permanece, a lo largo de su vida, víctima de la sospechosa nostalgia que lo habita, rondando alrededor del panteón o entre los vestigios del Forum romanum desde donde Julio César, hace dos mil años, había partido para someter a los belgas y los bátavos o para unirse a ellos, como él mismo o sus antecesores habían hecho con los galos, los iberos, los helvecios y los griegos, ya entonces reunidos en el seno de esa primera Europa sin fronteras que durante tanto tiempo sería la última.

«Tú que escribes, escribe en el espíritu de ese mar», dice un verso del poeta holandés Marsman. ¿Lo he conseguido? Lo ignoro. Pero sé, en cambio, que todos los autores que los buenos hermanos me enseñaron a leer habían vivido a orillas o en las inmediaciones de ese mar: Platón y Cicerón, Homero y Catulo, Sófocles y Ovidio. Antes de haber confiado una sola palabra al papel, uno ya ha leído las suyas y, haga lo que haga, no podrá deslastrarse de esa herencia; todo lo más, podrá, por citar a Octavio Paz, «insertarse en la tradición de lo nuevo», heredero en un cortejo sin fin de herederos, participante del perpetuo garabateo, del perpetuo mascullar que se alza en este continente desde hace casi treinta siglos, del discurso ininterrumpido, del murmullo de individuos aislados, del diálogo de las escuelas, de los poemas y de los testimonios que no acaban de hacerse eco, del coro polifónico, maravilloso y contradictorio de Babilonia, nuestro coro.

Todo autor, o casi, empieza por el decorado de su propia vida, y así fue como, a los veinte años, escribí una novela en la que un joven holandés de sensibilidad alerta recorre Europa con el fin de encontrar en Provenza a una misteriosa joven de la que ha oído hablar. El libro se titulaba *Philip en de Anderen* (Philip y los otros), y los «demás» eran todas esas personas que uno conoce en el camino y que expresan la pluriformidad. Naturalmente, el joven encuentra a su amada y, naturalmente, la pierde, pero no sin haber poblado para ella el puerto de Copenhague con personajes de su primera mitología personal: Scarlatti, Paul Éluard, el poeta español Bécquer y el poeta holandés Lodeizen, que ocultamos celosamente de vuestras miradas tras la valla de nuestra lengua, ya que el holandés es, con el albanés, el idioma más secreto del continente. Al publicar ese libro, me convertí inesperadamente en escritor y, según mi amigo, el filósofo alemán Rüdiger Safranski, ya no me quedaba más que morir, pero eso lo dijo porque le disgustaba ver cómo me distanciaba, al cabo de tantos años, de la inocencia de mi juventud. Sin embargo, no morí. Se me había ocurrido algo mejor: me fui a España y, a decir verdad, no me he movido de allí desde entonces, una esquizofrenia europea ya incurable divide mi ser en una parte meridional y una parte nórdica; en invierno, vivo en Amsterdam o en Berlín, en verano, me entrego despiadadamente a España, convirtiéndome así en una de esas criaturas híbridas, incomprendidas dondequiera que vayan, que tienen su residencia en tres lugares distintos, o sea en ninguna parte, quizá uno de los primeros europeos verdaderos, valientes cobayas del nuevo continente, que han incorporado en su propia existencia la unicidad y la pluriformidad. Deberían disecarnos, somos de gran interés para la ciencia. Leemos el *Frankfurter Allgemeine Zeitung*, *The Guardian*, *Le Monde*, *Vrij Nederland*, *La Vanguardia*, *La Repubblica* y, si hace falta, el *Diario de Noticias* y *L'Osservatore Romano*, odiamos la tontería de las grandes naciones que no hablan más idioma que el suyo y que se aseguran de que la generación siguiente tampoco lo haga, camuflando, en los televisores y las salas de cine, todas las demás lenguas bajo la de su país, y borrando así hasta los sonidos del idioma extranjero; no entendemos que los mismos hombres de izquierdas que lamentan la desaparición de una especie de pájaro de las más insignificantes rían viendo a un hombre, quizá el último, llevar el traje tradicional bávaro; nos sentimos humillados cada vez que un McDonald's suplanta un plato de pulmón en Suabia, un plato de callos en Florencia, un *haggis* en Edimburgo, o un plato de bacalao en Navarra; aprobamos el regionalismo cuando tiene por objetivo la conservación o la consolidación de un patrimonio esencial y nos oponemos a él cuando pretende la exclusión del otro, despreciamos el cáncer de la violencia nacionalista, ya sea llevada a cabo por irlandeses, croatas, vascos o serbios; somos, en una palabra, aquellos a los que nadie escucha.

¿Me permiten terminar en un tono más ligero? En una ocasión, intenté poner término a la incomodidad de esa situación, y lo hice del único modo a mi alcance: en el orden de la ficción. Quería agrandar mi querida patria hasta que alcanzara las dimensiones de la mitad de Europa. Para ello, la empuñé por el lugar en que su parte inferior acaba en apéndice, o sea la provincia de Limbourg, cerca de Maastricht para más señas, y estiré dicha provincia para obtener un corredor que atravesara los Alpes y desembocara en Eslovenia, tras lo cual los Países Bajos se ensanchaban de nuevo para cubrir el conjunto de los Balcanes hasta la frontera griega (no me atreví a ir más lejos). Esa nueva provincia de nuestro reino, la bauticé Países Bajos del Sur: un territorio montañoso aún no afectado por la nivelación universal del progreso técnico, donde la identidad local tenía todavía un lugar, donde se hablaba un holandés medieval, donde la imaginación no estaba todavía anegada en una funesta uniformidad y donde la unidad resultaba de una pluriformidad auténtica. El narrador de ese libro representaba a una especie rarísima: un español que hablaba el holandés. La novela se titulaba *En las montañas de Holanda* y, tras los inevitables episodios dramáticos, los protagonistas conocerían una larga felicidad (aunque la historia no dice si tuvieron muchos hijos). Ignoro quién transformará en realidad la ficción de una Europa unida y sé aún menos en qué momento lo hará, pero estoy seguro de que hará falta una multitud de autores para garantizar un desenlace feliz a trescientos cincuenta millones de protagonistas de novela.

Discurso pronunciado con ocasión del Beck Forum, Primer Premio de la Ciudad de Munich, 17 de noviembre de 1991.

# La flecha de Zenón

Casi siempre, cuando uno da un discurso, se supone que no debe aburrir a los oyentes con los problemas a los que uno se ha enfrentado al escribirlo. Después de todo, si uno ha sido invitado, y si acude, es por algo. Se espera de uno que afirme cosas, y subyace la idea confusa de que tiene certezas. Sin embargo, no estoy tan seguro de ello. A decir verdad, hago dos cosas a la vez: estoy sentado en mi mesa de despacho en una isla española y estoy en Groningen dirigiéndome a ustedes. Hay en ello cierto misterio, ya que, en ambos casos, estamos en el ahora, y es la tiranía de ese ahora lo que hace que les hable en un lenguaje doble, lo cual, entre los apaches, como sin duda recordarán, estaba considerado como algo despreciable. Quizá acepten ustedes transponerse un instante a la esquizofrenia de mi simultaneidad: el ahora en el que hablo es un hace un momento o un seguidamente respecto al ahora en el que escribo estas palabras. Siempre ocurre lo mismo, me dirán, pensando posiblemente también: ¿por qué se complicará la vida? Pero el azar ha querido que entre el ahora de la redacción de este discurso y el ahora de su enunciación, tenga lugar un referéndum en Francia que (permítanme adoptar unos instantes el tono grandilocuente de los otros) decidirá la suerte de Europa, y por lo tanto la de ustedes y la mía. Los momentos históricos son siempre una falsificación, ya que millones de átomos de sentido y de coincidencia, esa curiosa mezcla que constituye sencillamente la historia, saturan dichos momentos hasta hacerlos explotar. E incluso si, en el caso que nos ocupa, el momento ha sido previamente anunciado, ello no implica gran diferencia.

Lo importante, en cambio, es su aspecto metahistórico, y aquí me refiero a otro desdoblamiento del presente, en que los actores, los protagonistas o, si lo prefieren, los autores, se contemplan continuamente actuar en el espejo, con la esperanza de descubrir en él la historia, cogida in fraganti. Es válido tanto para las personalidades políticas como para el pueblo. No olvidaré fácilmente que, tras una de las mayores manifestaciones en Berlín Este, en los últimos días de la RDA, habían pedido a los participantes que depusieran sus pancartas. Una semana después, las vi expuestas en el Martin Gropiusbau, como «préstamo del Museo Histórico de Berlín Este». Recuerdo haber visto en ello, en esa época, algo perverso, y me pregunto todavía si no tendría razón. Rodeados por los espejos de las comunicaciones, que se envían continuamente reflejos unos a otros, vivimos, tanto los célebres como los desconocidos (me refiero a los hombres políticos, ellos, y a las masas, nosotros), en dependencia mutua, e intentamos en ambas partes utilizar esos espejos como armas, instrumentos de poder y medios de defensa. No en vano, al fin y al cabo, una de las publicaciones más influyentes se titulaba, el siglo pasado, *The Spectator* (el espectador), y otra, en la actualidad, *Der Spiegel* (el espejo). Este espejo y otros que no nos pertenecen son aquellos en los que vemos lo que se produce en el momento en que se produce, o lo que hacemos en el momento en que lo hacemos, y en los que no sólo observamos nuestro continuo y perpetuo ahora, sino que debemos oír casi a diario lo que debemos pensar de ellos, ya que de la abstracción que somos se extrae cada día una abstracción menor, que supuestamente nos representa y afirma que diremos, o mejor dicho, en este caso, que dirán mayoritariamente sí o no, y ese reflejo del veredicto influye luego en el veredicto de una abstracción igual de anónima del ahora de mañana. En cualquier caso, si mi ahora del 15 de septiembre se ha convertido en mi ahora y el de ustedes del 23 de octubre, sabremos lo que los franceses han decidido a nuestro respecto. Y, en mi opinión, sobre todo si es que sí, ya será considerado como historia antigua, algo que tampoco es como para suscitar tanta conmoción; y, sin embargo, en mi ahora de entonces, de antes del resultado, el desenlace del escrutinio toca todos los problemas expuestos por Hans Magnus Enzensberger en su discurso.

Por lo que me ha parecido entender de los documentos que me han sido enviados, no soy el único conferenciante invitado en calidad de co-orador y que no sabe exactamente lo que se espera de él. ¿Acaso tiene que tocar el bajo continuo tras el aria del invitado de honor? ¿Puede hacer simultáneamente el bordón o ser el coro desarrollando una melodía dialéctica contraria, o puede sencillamente cantar como le venga en gana? Finalmente, opté por el *quodlibet*, un «como guste», con un poco de todo y, para ser sincero, algo de un «como guste yo también». En mi opinión, y eso me ha gustado, la especie de los escritores forma parte todavía de los cazadores y los recolectores de Enzensberger. LLevo una vida de nómada con tres pastizales fijos: Amsterdam, Berlín y España, y el resto del tiempo viajo, es una forma adaptada de «zingarismo», con la desconfianza que eso suscita. Alguien que nunca está, o que pueder volver a irse en cualquier momento, se ha excluido del juego de sociedad, ya no forma realmente parte de él. Por eso me parece importante profundizar en la distinción que establece Enzensberger. Creo que este siglo, y sin duda esta región del mundo, no soporta ya el nomadismo, cualquiera que sea su forma, solicitantes de asilo, refugiados, *boat people*, zíngaros o vagabundos. Se debe permanecer allí donde se esté «residencializado». Por lo que puedo comprobar, mis contemporáneos no tienen un coche para viajar, sino para regresar lo antes posible al lugar de donde hayan salido esa mañana.

El turismo de masas es un fenómeno prácticamente idéntico, una imitación plebeya, encajonada entre dos fechas tranquilizadoras, del *Grand Tour* (de ahí el término) de los siglos XVII y XVIII, habida cuenta de que lo que se debía imitar degeneró en su contrario: ver lo menos posible, reproducir bajo otro clima la inmovilidad doméstica, casi siempre con la coartada de algún espectáculo organizado por un *tour operator* (otro término del mismo tipo), traicionando y desnaturalizando de manera banal la especificidad del lugar en que se encuentra uno. El que las mismas personas observadas en el transcurso de semejante espectáculo vengan a su vez a mirarnos o a ver lo que ocurre de modo más o menos permanente está absolutamente fuera de duda. A principios de siglo, cuando los socialistas no podían aún figurarse lo que eran los verdaderos asalariados de base y los regateos por un 1/2 %, el poeta socialista holandés Herman Gorter evocó un sueño más o menos en estos términos: «Unos trabajadores forman una gran ronda a orillas del océano». Se convirtió en Torremolinos, y los que allí bailan no tienen ninguna gana de que otros participen en su ronda. Acaban de llegar.

Recientemente he aprendido una nueva palabra, *patera*, y he visto por televisión qué aspecto tiene: una larga barca estrecha con un potente motor, que, a toda velocidad y mediante una fuerte suma de dinero, transporta a emigrantes clandestinos que, en ocasiones, han ahorrado durante años con este fin, desde la costa norte de África hasta la costa sur de España, o sea de Europa. Dadas las tarifas que se utilizan, dicho comercio es más lucrativo para los marroquíes propietarios de semejantes embarcaciones que el tráfico de drogas del que han estado viviendo hasta ahora: de sesenta a cien mil pesetas por persona, cantidad a multiplicar por un número infinito de individuos. La policía española intenta interceptar las pateras con barcos aún más rápidos y, en consecuencia, se producen frecuentes accidentes en los que, a menudo, muere gente ahogada. Eso también se puede ver por televisión, un montón de cadáveres bajo una lona de plástico, *end of the line*. La televisión española es muy «gráfica» (este anglicismo expresa bien lo que quiero decir), y asimismo las imágenes expresan bien lo que ocurre. De vez en cuando, una de estas barcas consigue depositar su cargamento justo antes de llegar a la costa. Luego, el barquero da media vuelta a toda velocidad, y algunos marroquíes, argelinos, senegaleses, ghaneses, hombres en su mayoría, hay pocas mujeres, todos ellos sin equipaje alguno y sin papeles, se dirigen lentamente hacia el desolado paisaje de dunas donde la policía, y la televisión, los espera en medio de árboles algo secos y raquíticos. El espectáculo tiene algo de inefablemente humillante y triste, reforzado por el recitativo que lo acompaña, voces bajas, exóticas, en tono de fracaso, diciendo en español, en francés o en inglés que siempre vale más probar fortuna que permanecer en el lugar de donde vienen. En otra tentativa, ya lo conseguirán; la oleada es tan fuerte que el intento tiene que funcionar de vez en cuando. De eso, por cierto, también vi una imagen: dos hombres negros, altos, en un paisaje desértico de España, a la desafortunada hora del mediodía, haciendo auto-stop en una carretera que parece no conducir a ninguna parte, la carretera que lleva a Europa, un imposible laberinto de papeles inexistentes o falsos, de oficinas de inmigración, de trabajo ilegal, de fronteras, de rechazo, de hostilidad, de formas de pobreza que, por la alquimia del mundo, son, para esos hombres, formas de riqueza.

Dos hombres no hacen una migración. ¿Aparecen acaso en el mapa meteorológico de Enzensberger? ¿Son una minúscula flecha que, junto con otras flechas insignificantes indica una turbulencia y, por consiguiente, «las condiciones atmosféricas normales»? Esta semana, en el diario español *El País*, una flecha de ese tipo estaba representada en una ilustración de Máximo que expresa, más que cualquier cosa que pueda yo decir aquí, la cuestión de la que se trata. Resulta difícil reflejar un dibujo, pero lo voy a intentar. En una superficie vacía sólo se representa la parte inferior de Europa, los contornos de la península ibérica están esbozados con trazo bastante inseguro, dando así una impresión de fragilidad. Por debajo, se extiende África, pero no con su forma habitual, más bien bonachona, de pera crecida al revés, no; se ve comprimida en la forma rígida, y por eso mismo amenazadora, de una flecha dirigida hacia España, o sea hacia Europa. Conociendo el periódico y al dibujante, sé que la flecha no tiene por objetivo el fomentar el odio, sino servir de recordatorio: esto es lo que ocurre, esto es de lo que se trata, y esto es de lo que se tratará cada vez más. Mentalmente, he trazado la misma flecha en los alrededores de la otra ciudad donde vivo, Berlín. El porqué, lo he visto en el transcurso de los últimos decenios en Rumanía y en Yugoslavia, en Níger y en Malí, en Bolivia y en

Colombia. No hay secretos en el mundo. Pero a las migraciones del pasado se asocian, en los libros de historia, unas flechas en movimiento; en el mapa siguiente, ya están más lejos los celtas, los visigodos, los vándalos. Medidas con el rasero de poblaciones enteras que atravesaban regiones del mundo medio vacío, las flechas de las que hablamos se desplazan tan rápido como la flecha de Zenón, o sea nada en absoluto. Salvo que nuestras flechas no las retiene un argumento sofisticado, sino la violencia, aunque no lo parezca. Las flechas no entran en movimiento hasta que esa eventual violencia ha sido desenmascarada como argucia. O quizá sea lo contrario, cuando las flechas empiezan a moverse realmente la posibilidad de retenerlas es desenmascarada como argucia. Lo que la distancia de una mirada histórica o el *sub specie aeternitatis* de Spinoza permite calificar de «turbulencia» debería pues llamarse «guerra», palabra absolutamente inconcebible, tan inconcebible como una batalla de varios meses por Sarajevo a finales del siglo XX, anacronismos que no se inscriben en un sistema de pensamiento racional. Pero quizá se trate precisamente de eso, de una lógica perturbada en un mundo asincrónico. Una superpoblación explosiva no pertenece a la misma época que una subpoblación implosiva. Una *jihad* tiene en común con las cruzadas aspectos que lo que llamamos la cristiandad en el siglo XX ha clasificado hace ya tiempo en los archivos nostálgicos de su pasado fundamentalista. Y cualquiera que viaje desde el sur de este mundo hacia el norte, o a la inversa, tiene a menudo la impresión de que le resulta posible, a pesar de las leyes científicas, viajar a través del tiempo. Sistemas asincrónicos en un mundo sincrónico, el pasado de uno se pierde en el futuro del otro, y también a la inversa, el anacronismo como medio de división, las armas materiales de una época como instrumento para el universo mental del otro, la *fatwah* por ordenador, el camino del paraíso para el héroe muerto en combate, en la madre de todas las batallas acortado por un rayo ardiente en que la espada ya no ha lugar, la lapidación del adulterio en una ciudad del desierto difundida vía satélite a domicilio, el mismo día, junto con las cotizaciones de la Bolsa de Tokio y las migraciones rechazadas en la aduana.

Al final de un vuelo transatlántico, ponemos los relojes en hora. Pero el único tiempo en que eso es posible es también el tiempo en que todo el mundo se pone de acuerdo, el tiempo de la medida establecida, aquella en que, simultáneamente y para nuestro asombro, ocurren cosas que no pertenecen al mismo tiempo y que deberían, por consiguiente, excluirse mutuamente; la irreconciliable turbulencia de la *anacronía*, el sitio mortífero de una ciudad europea, al que se puede asistir en todas las ciudades europeas, las máscaras cada día más apagadas de aquellos que mueren lentamente de hambre entre el detergente y la comida para gatos, la *anacronía* y la obscenidad, la obscenidad convertida en normalidad; somos contemporáneos empedernidos unos de otros. Y ya sé que, hablando así, entono una cantinela retórica propia de los ritos de la buena palabra en la Iglesia del mundo cerrado, dispuesto a defender sus riquezas, que ya no entiende ni él. Y aquellos que, a pesar de todo, dejamos penetrar en el mundo cerrado, no suelen vivir próximos a los clérigos que predican la buena palabra, sino a otros que piensan de manera distinta y lo manifiestan cada vez con más claridad en sus escenas de violencia y de impotencia, que se parecen cada vez más a las guerras, pero a las de antes, batallas de amplitud limitada, escaramuzas, cascos, viseras, escudos, fuego y armas de fabricación artesana.

Hace varios años, me encontraba en el Arsenal de Viena, que abriga el museo austríaco del ejército. Allí se conservan los vestigios militares del *K und K*[1], maquetas de barcos de la flota adriática, cascos con penachos atávicos, un manual en todos los idiomas babilónicos de los

[1] *Kaisertum und Königstum:* el Imperio austro-húngaro.

Balcanes, que permitía a un médico del ejército preguntar a un soldado rumelio, húngaro, serbio, bosnio o croata: «¿Por qué se rasca?», así como ciento seis retales de telas de los diferentes regimientos de infantería reales e imperiales con el fin de reconocerse con facilidad en una alegre batalla y, para terminar, en una sala aparte, el coche de Sarajevo, convertido con razón en pieza de museo. En una vitrina que parece un ataúd de vidrio, estaba expuesto el uniforme manchado de sangre del archiduque, y, sobre una cómoda cercana, el menú impreso de la comida consumida por la compañía justo antes del fatal paseo en coche: una sucesión creciente y decreciente de platos, según las reglas culinarias de la Belle Époque, rematada por un postre para el cual el *maître de cuisine* había ideado un nombre profético: *Bombe à la reine.*

En ocasiones, pienso en eso, ahora que todos los sellos del álbum amarilleado por el tiempo hacen su sangrienta reaparición. Quizá consiga expresar mejor mi impresión desesperada de *déjà-vu* con una cita:

En ese momento, el escritor ya sabía más sobre Bulgaria que nadie de su entorno. A decir verdad, no resultaba difícil, ya que, a excepción de unos pocos filatelistas, nadie había comprendido jamás el desbarajuste inextricable de los antiguos Balcanes, Bosnia, Serbia, Herzegovina, Rumelia, todas esas fronteras danzantes, colores errantes en el mapa, por ejemplo en el *Mapa etnográfico de la Turquía de Europa y de sus dependencias a principios de 1877, por Carl Sax, cónsul imperial y real de Austria-Hungría en Andrinopla*, amarillo para los búlgaros ortodoxos cismáticos, marrón para los búlgaros musulmanes, y todo un torbellino de colores brotando de un prisma estallado para los greco-valacos, los serbios ortodoxos griegos, los serbocroatas católicos romanos y, por encima de todo eso, el vaivén de las fronteras políticas, cada nueva frontera abrevada de una sangre inútilmente vertida. Ésta era quizá la única ventaja de la historia que escribía: obligarlo a interesarse, aunque no utilizara de ellas ni una centésima parte, por esas visiones atroces, macabras, que humeaban en volutas brotando de los mapas y de las páginas, carnicerías olvidadas, descompuestas, el tejido conjuntivo de la historia, un sufrimiento del que costaba concebir que un día había sido real y algo había estado en juego.

El sufrimiento, pensaba, debería tener un peso, su peso específico, ser identificable como un mineral que no existe en ninguna otra parte, una moneda estable en la que los cadáveres, la sangre, las heridas, las enfermedades, las humillaciones fueran tenidos en cuenta, y que se encontrara en el campo de batalla, en las cárceles, en los lugares de ejecución y en los hospitales, como un monumento al significado inmutable fuera del tiempo y del lugar.

Escribí este pasaje en 1979, en una novela corta, *Een Lied van Schjn en Wezen* (El canto del ser y del parecer), que se desarrollaba asimismo en 1979, y al mismo tiempo, también por un desdoblamiento del presente, en 1879. Eso es imposible pero, en ficción, todo está permitido, y así es como el escritor sin nombre de 1979 oye al médico militar Ficev, que acaba de proceder, en el frente, a las amputaciones y demás operaciones de las más espantosas, sin anestesia, decir a su amigo Georgiev, en 1879:

«¿Te das cuenta? –decía–, el zar de todas las Rusias se encuentra en visita de inspección, y ni una sola letrina en todo el campo. El zar caga en cuclillas, en el suelo, como los cerdos, los perros y los soldados en el campo de batalla. La barbarie empieza a nuestro lado del Adriático, nacimos en el lado equivocado.» Luego venían nuevos arrebatos líricos sobre Venecia, Florencia, Roma. En respuesta a eso, Ljuben Georgiev se lanzaba en un elogio vibrante de la grandeza oculta de Bulgaria (¡escamoteado, Simeón el Grande! ¡Escamoteada, nuestra magnífica Edad Media! ¡Tárnovo! ¡Todo eso escamoteado, bajo quinientos años de mierda turca!), que escuchaba con un cortés aire de ausencia. Las proezas de Kalijan, el esplendor de Preslav y de Ohrid, los frescos de Bojana, el último gran renacimiento, esa edad de oro, bajo Iván Sisman, antes de que la noche turca azotara definitivamente el país, nada de eso parecía afectarlo. Sólo existía, a sus ojos, una cultura: la cultura latina, la de la luz. Los búlgaros eran bárbaros, igual que los rusos y los turcos; y los Balcanes, un infierno, una marmita borboteante, llena de sangre vertida en guerras estúpidas e inútiles. Lo único que cabía hacer, era transformar el conjunto en una gran morcilla negra para que la devorara el resto del mundo.

Y, aunque el doctor Ficev no haya existido nunca, sabía de qué hablaba, o sea de qué volveríamos a hablar, más de cien años después, ya que, si los nombres de los Milosevic y los Karadzic del siglo pasado pueden haber desaparecido, los topónimos Kosovo o Sarajevo siguen siendo los mismos, como Macedonia, Serbia, Herzegovina; los que quisieron morir y murieron efectivamente en su honor no han desaparecido en el espacio, sino en el tiempo, y la Europa de la unificación contempla impotente la Europa de la sangrienta fragmentación. Precisamente porque se trata de un anacronismo, Europa no se atreve a intervenir; todo eso pertenece al pasado, ya antes se dejó despedazar por las mismas razones. Pero tampoco quiere sufrir la consecuencia de esta guerra tribal: una interminable riada de refugiados de esta guerra y de las siguientes, que fluye lentamente en dirección oeste, donde el mapa meteorológico confirma sus propias previsiones. El único país que, por el momento, soporta verdaderamente esa carga es Alemania: trescientos mil refugiados el año pasado, quinientos mil este año. A modo de recompensa, algunos la tachan de xenófoba. No falta quien afirme que Europa es lo suficientemente dinámica para absorber semejantes cantidades. Pero, en Alemania, muchos dicen que su país no tiene por qué hacerlo solo (sin mencionar a los que pretenden que Alemania no tiene por qué encargarse de eso en absoluto, y demuestran claramente su punto de vista empleando medios que producen una impresión terrible, pero muy distinta, de *déjà-vu*). Sin embargo, quienquiera que los señale con el dedo haría mejor señalándose a sí mismo. El resultado es evidente.

¿Existe una solución? Quizá la gran locura haya sido pensar que todo el mundo debería ser lógico, y con eso quiero decir que no deberíamos emprender guerras sin sentido alguno, en que la gente muere por cuestiones que ya no valen la pena. Pero ¿quién tiene que decidir? ¿Se puede acaso establecer una graduación? Nosotros trabajamos por nuestra magnífica y poderosa unificación, y resulta que salís de debajo de la piedra de vuestra dictadura, por la que siempre os hemos guardado rencor en nuestros pensamientos más secretos, y estropeáis el discurso de la historia, tan lógico, tan prometedor y tan claramente prescrito por el futuro, con vuestras obsesiones trasnochadas, resurgidas del pasado y de las cuales, para colmo, ¡os convertís en víctimas! ¡Y mirad lo que provocáis aquí! ¡Ya no nos reconocemos! Los viejos fantasmas salen de los armarios, todo se convierte en hervidero, la libra se marchita, la lira se evapora, el dinero corre obstinadamente por el mundo, ahora que parece que no podemos ocuparnos de todo al mismo tiempo, puesto que todo está entrelazado en un conjunto que nadie ha cartografiado aún. Perniciosos cortejos atraviesan nuestros sueños de apoteosis, se nos recuerda todo lo que nos gustaría haber olvidado, los estereotipos del viejo teatro de marionetas vuelven a la actualidad: el francés egocéntrico que, en un arrebato de mal humor, hace morder el polvo a Europa; el alemán arrogante que, con su marco, golpea a su alrededor y alcanza al pérfido inglés quien, de todos modos, ya estaba dispuesto a apuñalar a Europa por la espalda; el italiano corrupto que vive por encima de sus posibilidades, convencido de que los que trabajan duramente en el norte acabarán pagando su cuenta de parásito; los holandeses que dicen a todo el mundo lo que tiene que hacer y aprovechan entretanto para enriquecerse todo lo que pueden; los daneses, el único pueblo razonable que ha comprendido justo a tiempo que en Bruselas y en Estrasburgo huele mal... ¡Ay, pobre Europa!

Un día, cuando empezó todo, hice frívolamente, la lista de los nuevos puestos por crear de aquí al fin de siglo: embajador de Letonia en Cataluña, embajador de Córcega en Liechtenstein, embajador de Croacia en el País Vasco, embajador de Lituania en Moldavia..., pero eso ya no tiene gracia. En la región donde vivo en España, cada año se emprenden guerras de banderas entre la española, que no debería o no debe ser izada, y la catalana, que, precisamente, debería o debe estarlo, aunque, contrariamente a lo que ocurre en el País Vasco, la sangre no llega al río todavía. Sin embargo, el presidente de la Generalitat de Cataluña, Jordi Pujol, ha nombrado ya un comisario de Asuntos Exteriores; Europa tiene dificultades para rato. Se prohíbe relativizar el problema, dijeron a Hans Magnus Henzensberger y György Konrad con ocasión de un reciente congreso de escritores de Europa central en Eslovenia donde, según los términos del *Frankfurter Allgemeine Zeitung,* ambos autores fueron tachados de cínicos por el poeta croata Vlado Gotovac y fustigados por su desmesura, su impertinencia y su arrogancia intelectual. En un reciente discurso, Konrad había hecho burla de la fragmentación nacionalista, fragmentando la fragmentación hasta el absurdo. Habló de la irracionalidad del reparto, de la retórica patriótico-religiosa, de los dialectos que pretenden ser lenguas literarias sin preocuparse por averiguar si una literatura escrita en ese tipo de lenguaje secreto es leída o no; evocó las investigaciones de pureza racial, el etnocentrismo, la locura que amenaza en los confines de Europa.

No son cosas que haya que decir en los tiempos que corren. Por lo demás, su solución no fue escuchada: la construcción paciente de una federación centro-europea en el seno de la cual las antiguas entidades, alejadas unas de otras por agravios nacionalistas, habrían podido convivir a pesar de todo, vinculadas por un lazo menos cargado históricamente, para ser integradas luego en una Europa más grande y unida. Desde que dijo eso, se ha derramado mucha sangre, y las metástasis prosiguen sus funestos caminos. Las opciones son las siguientes: dejar sangrar a muerte, intervenir, contemplar o dejarse arrastrar al terreno apocalíptico del incendio de las turberas. Y ¿qué pinta el holandés en todo eso? Vive en un país en que las diferentes provincias, que, en semejante contexo, se llamarían países, con su propio gobierno cada una, su propia moneda y su propio territorio, se unieron en 1588 en una república. Le resulta imposible comprender que la región del mundo en la que vive no pueda seguir la receta de su historia nacional, a pesar de que existen magníficos paralelos. Pero las cosas funcionan de forma distinta. Siguen su propio curso, quizá fortuito, quizá dialéctico, quizá intencionado, o quizá caótico.

En 1975, me encontraba, con un fotógrafo inglés, delante de la mezquita de la ciudad santa de Qom, en Irán. El *shah in shah* estaba todavía en el poder, y nosotros, que en Occidente lo considerábamos como un tirano (y lo era, por cierto), apoyábamos, en la medida en que la cortesía frente a tanto petróleo lo permitía, a los estudiantes, cineastas y personalidades políticas liberales en exilio que se habían opuesto a su régimen absolutista. Pero ese día, en Qom, tuve una primera impresión de otro tipo de oposición. Cuando nos acercamos a la mezquita, fuimos súbitamente rodeados por una oleada de *mollahs* vestidos de negro, excitados y vociferantes. Uno de ellos me lanzó a la cara un espeso escupitajo que todavía tengo la impresión de sentir cuando lo recuerdo. Ese escupitajo había tenido, mucho tiempo antes, un predecesor. Proust tenía su magdalena, y yo, mi escupitajo. La primera vez, fue cuando el invierno del hambre[2] me llevó de La Haya hacia la región del Veluwe donde, siendo un niño católico de diez años, me encontré, probablemente

[2] El de 1944 a 1945.

por un error en el mundo incomprensible de los adultos, en una escuela de culto protestante y fui perseguido en el patio de recreo y arrinconado por un grupo de cristianos de mi edad. Entre los niños, también se ven rostros deformados por el odio. A veces, no puedo dejar de pensar en ese incidente cuando Maarten't Hart habla de «cathos». En ese rincón recibí mi primer escupitajo; en Qom, el segundo, y también allí aprendí algo. Escribí en aquella época que pensaba que la revolución, en Irán, podría venir de los musulmanes puristas (desgraciadamente, la palabra «fundamentalistas» no me vino a la cabeza). El artículo fue publicado en mayo de 1975 y, si la gente de la CIA hubiera podido leeer el holandés, se habrían ahorrado bastante trabajo.

Pero ¿qué había ocurrido? Una vez más, me encontraba en el lugar equivocado, no sólo en en espacio, sino también en el tiempo. Siempre me ha dado cierta vergüenza utilizar estas palabras, pero me sirven para expresarme con más claridad. El sha había expulsado a su pueblo de un antaño de varios siglos hacia un ahora acelerado e imposible, y la sanción de semejante acto, lo sabemos por las novelas de ciencia ficción, es atroz. Aquel a quien se arrebata de su propia época ve ante sí un abismo, una existencia imposible de soportar, y nos amenazamos de este modo con nuestros anacronismos recíprocos en un mundo policromo. El que se encuentra demasiado adelantado con respecto a la historia del otro se convierte en un peligro para él, ya que éste rechaza, por innumerables razones, sus experiencias sociales como la democracia, los derechos humanos, el feminismo, la libertad de expresión, envidiando al mismo tiempo su adelanto material y temiendo su superioridad militar. En la sincronicidad cotidiana de la imagen, vivimos con las visiones de un mundo asincrónico, una oleada sangrienta de informaciones que transforman a los espectadores, que se encuentran por todas partes, en compañeros de infortunio, en víctimas, en autores y en cómplices. Conozco a muy pocas personas que puedan sustraerse a eso; han decidido vivir en un mundo fuera del mundo, admitir su impotencia real o supuesta retirándose al jardín de Cándido, conjurar la contradicción de los anacronismos por una calma intemporal que es lo más próximo al modo en que uno se representa más comúnmente la eternidad, una neutralidad en la que se sabe que todos los dramas se reproducen indefinidamente y todos los errores se repiten. Me gustaría ser capaz de eso, pero no puedo.

Discurso pronunciado con ocasión de la conferencia Van der Leeuw sobre la inmigración, que tuvo lugar el 23 de octubre de 1992, en Groningen, con Hans Magnus Enzensberger como invitado de honor.

# Un tenebroso reflejo

Una noche, a principios de diciembre. Acabo de llegar de Barcelona en avión, demasiado cansado para hacer algo, pero tengo que ir a la Maison Descartes, el centro cultural francés en Amsterdam, para ver a Dominique Fernandez. El ministerio francés de Asuntos Exteriores ha enviado, en calidad de ponentes, doce escritores a once capitales de Europa para preparar, con cierto número de interlocutores, un simposio sobre la identidad europea. Nunca sé cómo tratar semejantes abstracciones, pero la invitación era amable y la he aceptado. No conozco las novelas de Fernandez, pero he leído su obra sobre el barroco italiano y alemán *(Le banquet des anges)* y su maravilloso relato de viaje por Italia *(Le promeneur amoureux)*. Conozco a varios de los holandeses presentes, pero Willem Frijhoff, de la universidad Erasmo de Rotterdam, historiador y decano de la facultad de ciencias sociales, es para mí una cara nueva. Modera el debate Jacques Lafon, consejero cultural de la embajada de Francia.

Fernandez es un hombre de mi edad con el físico de quien corre todos los días diez kilómetros, vivo y preciso. El cuaderno de notas colocado delante de él suscita en mí una ligera angustia, ya que la cosa empieza a adquirir aspecto de trabajo serio, y todavía tengo polvo de las Ramblas en los zapatos. Los temores franceses respecto a Estados Unidos (Coca-Cola, McDonald's, *Dallas* y *Dinastía*) vuelven a aflorar, tal como lo había previsto, pero todo el mundo habla de ello con humor y relajación. Recuerdo haber dicho que, si Europa y sus reyes del cable tenían ocasión, demostraríamos bastante rápidamente que somos capaces de hacer series televisadas tan malas como las que hacen los americanos, y que las armas secretas, como MacDerrida y MacBaudrillard, sembrarían una confusión mucho mayor en las universidades americanas que el bueno de McDonald's aquí. O algo por el estilo.

Todo eso queda cuidadosamente anotado, y recibo más tarde la copia de un télex enviado por la embajada al Quai d'Orsai. En él, se menciona nuestro «habitual comportamiento atlántico» y el hecho de que los «creadores» holandeses, en su mayoría, han sido «consagrados» en los Estados Unidos antes de ser considerados en Francia. Me parece divertido que me envíen este télex, es como si leyera a escondidas por encima del hombro de alguien, viendo lo que dice que hemos dicho. «Ni un solo holandés participante en el debate se ha mostrado sensible a la necesidad de luchar contra el imperialismo de la subcultura de la coca-cola, como si la situación actual les resultara indiferente en realidad y les pareciera ineluctable.» Y ya está. El resto del informe («Los intelectuales holandeses parecen más atraídos por el cosmopolitismo que por la *europeidad*») es tan concienzudo como se podría esperar de un pequeño Babel. Aparentemente, habíamos acogido la iniciativa francesa con cierta desconfianza y, dada nuestra franqueza habitual, no habíamos omitido decirlo. La embajada estima que será difícil disipar entre nosotros ese sentimiento de desconfianza. Entretanto, bebimos un excelente vino en la Maison Descartes, y nadie pidió coca-cola.

Poco después recibo la invitación oficial, que acepto, y un documento con una sucesión aturdidora de abstracciones entre las cuales se me permite escoger un tema para mi discurso. El único punto del programa para mí perfectamente claro es el siguiente: a las 20 horas, cena ofrecida por el señor Jean-Bernard Raimond en el ministerio de Asuntos Exteriores. Pero, vamos a ver, ¿qué demonios tengo yo que decir sobre «Familias de pensamiento y corrientes de ideas contemporáneas»? o sobre «Estado de las cosas (perspectivas históricas)»? En semejantes ocasiones, compruebo hasta qué punto soy mucho más holandés de lo que creo. Pero el señor Lafon tiene al respecto una opinión muy distinta. Forzándome un poco, me orienta, por teléfono, hacia la «Geografía de las afinidades europeas», sección «Escritores de aquí y de allá». Si eso no es lo que soy, ¿entonces, qué soy? Decido no preocuparme por las abstracciones filosóficas y mantener un discurso personal sobre mi Europa, una que me es propia, que me he ido construyendo a mi costa y con amor, no una Europa de las ideas, sino la de la experiencia.

Esta vez, estamos en París, en enero, por la noche, en el decimoctavo piso del hotel Concorde-Lafayette. No, no por la noche, que estaba cayendo. Una extraña puesta de sol marca con sus huellas de fuego el asfalto húmedo de la Porte Maillot y del Boulevard Périférique. Largas filas de coches giran, estrechándose y separándose, y desaparecen o aparecen en la lejanía, donde ya no hay ciudad. Siluetas malva de colinas, el mundo. Me siento devuelto a una dimensión singular, un decimoctavo piso; es alto, cuando hay vistas sobre cruces a diferentes niveles y carreteras de seis carriles.

El vestíbulo del hotel también es infinitamente grande, hay butacas diseminadas aquí y allá, y sentadas, personas muy reales, pero que parecen figurillas en un plano de arquitectura o una maqueta, personajes que sirven para indicar la escala. Al aproximarme, veo árabes con abrigo de cachemira, reyes africanos, espías internacionales, mercaderes de islas. ¿O se trata acaso de participantes en el mismo congreso de filósofos alemanes, de bibliotecarios portugueses, de poetas irlandeses?

He cogido la lista de nombres. Hay un cardenal y un gran rabino, un *chef de cabinet* del presidente de algún monstruo televisivo alemán, un conde cuyo nombre es a medias el de nuestro príncipe Hendrik, un cineasta (Wim Wenders), un periodista del *Times Literary Supplement*, el antiguo gobernador del Banco de Irlanda y el presidente de la Fondazione Amelio de Nápoles, que también se llama Amelio. Por lo tanto, no estoy solo. Al día siguiente, nada menos que dos grandes autocares vienen a buscarnos. Eso ocurre a las 8.15, tal como nos lo habían metido en la cabeza. Quien llegue tarde, encontrará la puerta cerrada, ya que el ministro de Asuntos Exteriores, que viene a darnos un discurso, tiene otro compromiso a las 9.30.

No hay nada que hacer. Todas esas eminentes cabezas pueden tener el peso que quieran la circunstancia, a causa del autocar, tiene algo de excursión escolar. Me he eclipsado del almuerzo colectivo para encontrarme de pie, apretado, víctima taciturna de la mañana, ante el mostrador color cobre del Bar de Ternes, con gente silenciosa tras su *Libération* y su *café crème*, en el olor acre de los primeros Gauloises, que, si no, no me siento en Francia.

Pero ahora empiezan las cosas serias. LLevo una acreditación con mi nombre estrafalario y me he sentado en alguna parte, al fondo de la sala, oculto en medio de la prensa. Los proyectores de televisión se encienden y, nada más entrar, el ministro es inmediatamente iluminado por la claridad de un falso sol. En la mesa, también está presente Jean-Pierre Angremy, director general de relaciones culturales y célebre en Francia bajo otro nombre, el de un autor muy prolífico. Es capaz de algo que ya no se ve a menudo: conservar en cualquier circunstancia un cigarrillo entre los labios. He visto antaño camioneros franceses hacer lo mismo, pero fumaban Gauloises, de modo que podían dejar el cigarrillo pender del labio inferior, desde donde se agitaba mientras hablaban.

Angremy no llega a tanto, mantiene más bien el cigarrillo ante él, como una figura de proa o una chimenea ladeada. He visto desfilar ante mí a grandes retazos de Europa: Kant, Hegel y Sartre han pasado volando lentamente a través de la sala, mientras contemplaba fascinado el emblema blanco brotar hacia arriba y hacia un lado, a un ritmo en el que yo habría podido descubrir de todo, desde irritación hasta pasión, si hubiera conocido mejor al propietario de la boca. Es increíble lo poco atento que se está durante dos veces doce horas de conferencia, atento en el sentido en que uno puede ser capaz de captar inmediatamente el contenido, ya que me doy cuenta, a posteriori, de que algunos rostros, retazos e ideas han quedado finalmente bien anclados en mi memoria, desde las pequeñas arias retóricas como la del ministro, que subraya la importancia de Francia en la historia cultural de Europa («en ocasiones discutida, a menudo reconocida, nunca anodina»), y desgrana un rosario de nombres a través de su discurso: Oxford, Salamanca, Tübingen, Coimbra, Cracovia, hasta los ensayos históricos serios como el de Le Roy Ladurie y el de mi compatriota Frijhoff.

El saque de centro, después del ministro, lo da Alberto Moravia. Ochenta años, jersey rojo, cejas blancas e hirsutas como las de un gato salvaje de las Dolomitas, un físico tallado en madera de especie tropical, recto y sólido. Se pierde en dos metáforas bastante oscuras, en las que menciona telas bordadas y lluvias tropicales, que simbolizan el universalismo y períodos de gran creatividad, términos que opone alternativamente al reverso de su doble metáfora: el nacionalismo particularista y la sequía total. Inmediatamente después de acabar su discurso, desaparece, y ya no se lo ve más que en los sofás de los pasillos, donde atractivas mujeres armadas con magnetófonos beben sus palabras.

Un profesor alemán, que ha aplastado sus cabellos de un extremo a otro de su cabeza calva, nos arrastra sin más ceremonia hacia el arduo terreno de la metafísica; por cierto, veo a Hella Haase contemplar fijamente un punto metafísico en el espacio, donde sin duda se produce algo apasionante. En las cabinas, detrás de mí, los intérpretes mueven sus bocas políglotas; cuando me pongo los auriculares, puedo pasar de una lengua a otra, placer puramente europeo.

La intervención de Frijhoff se refiere al lenguaje. Explica que, purificando el latín vulgar, entonces lengua viva, los humanistas llegaron a una catástrofe, ya que se convirtió en una lengua reservada para una elite y, por así decirlo, muerta, demasiado muerta para que Erasmo muera en ella: las últimas palabras de este rotterdamés fueron en holandés, como es debido. Luego, evoca los altibajos del francés en nuestro país, hasta el desmoronamiento reciente de este idioma en la enseñanza secundaria de hoy en día. La moraleja de su ponencia es que no sería razonable buscar una única lengua de cultura con C mayúscula, aderezada con una buena dosis de puritanismo lingüístico y de elitismo.

Mi intervención está prevista a última hora de la primera tarde. La tarjeta con mi nombre ya está allí, pero el viejo Edgar Faure, tortuga vetusta y distinguida, se ha ins-

talado en mi sitio, de modo que puedo ver qué aspecto
tendré más tarde. He trabajado, hasta una hora avanza-
da de la noche, con Philippe Noble en la traducción de
mi discurso, que finalmente parece mejor que el original
en holandés. Hablar francés es un lujo, permite a veces
dar un giro retórico a las palabras. Doce países, cada uno
con su participante. Luego están previstas secuencias
cortas en que todo tipo de gente tiene cinco minutos para expresarse. La mayoría es incapaz de eso. Por ejemplo, André Fontaine, de *Le Monde*, que hace resurgir el
espectro americano y necesita para ello un tiempo infinito; o el director del Prado, que intenta batir el récord
del mundo del español hablado en quince minutos, sem-
brando el pánico en la cabina de los intérpretes. Se asis-
te, sobre todo hacia el final de la segunda jornada, a una
gran exhibición de pretensión; siento la oleada de palabras rebotar sin cesar en mi córtex cerebral, para volver
a pasar por las trompas de Eustaquio y chorrear hacia
fuera. Chapoteo hasta los tobillos en una charca de ver-
balismo europeo y huyo a los pasillos, donde las señoras
de la radio y los señores de la televisión acechan y atra-
pan a sus víctimas. «¿Es realmente útil?», quisiera saber
la televisión. «Sí –digo con bizarría–, útil y saludable.»
«¿Lo pienso de verdad?» Sí, lo pienso de verdad.

Cualesquiera que sean las motivaciones subyacentes,

la acogida es generosa, y una vez que he deslastrado mi cerebro de lo superfluo, queda suficiente substancia. Una intervención que me conmueve es la del escritor belga Pierre Mertens, reciente galardonado con el premio Médicis por su novela sobre Gottfried Benn. Explica que, como «belga medio flamenco, francófono y para colmo judío que es», está acostumbrado a los *transferts et procurations*, queriendo decir con eso, no sin cierto cinismo, supongo, que está designado para pertenecer a una Europa federalista, pero que emite dudas sobre dicha Europa. A través de Hermann Broch, Musil, Kafka, Rilke, Witkiewicz, evoca la imagen de la Europa «raptada» de Kundera, que ya no tiene derecho a una historia propia y se conforma por lo tanto con sobrevivirse culturalmente, se hunde en una no-historicidad que ya no da más que una «afición por las diversas patologías de la vida cotidiana».

Le opone otra Europa occidental, que ve su suerte profetizada en el este: para nosotros también acabará mal. «Ahora que Europa central está perdida, se puede ver en esta desaparición una predicción, un ensayo general de la desaparición de Europa entera. (...) Quien habla hoy en día de Europa, se refiere a aquello de lo que Europa ha sido desposeída.» Describe el espantoso sentimiento de amputación, el dolor que se siente en el miembro cortado, el luto.

«La literatura que me ha alimentado, de Kraus a Kafka, de Rilke a Vaculik, pesa sobre mí con la terrible carga de una leyenda que la historia ha transformado en masa de plomo.» Según Mertens, el carácter inacabado de *El hombre sin atributos* de Musil se puede atribuir a la «época»: «la falta de conclusión puede coincidir con el fin de una época. Sería una forma muy particular de censura. Es la propia época la que no ha acabado la obra de Musil o de ciertos libros de Kafka; sólo están acabados en el sentido de la "estocada", lo que en una corrida se llama "el momento de la verdad"». Para concluir, se interroga sobre la *glasnost*, la transparencia. ¿Tendrá como consecuencia la posibilidad para Kundera, Konrad o Konwicki de ser publicados en Moscú? «Mientras esta pregunta quede sin respuesta, la época de la transparencia seguirá siendo la de la opacidad.»

György Konrad está aquí en persona, pensativo, grave, solitario. Aboga por una carta de los individuos, no de los Estados, pero de los intelectuales, no de los hombres políticos, *une charte de liberté des intellectuels*, «lúcida y coherente» puesto que, precisamente, no tendría nada que ver con la *Realpolitik* y el statu quo. Presiente una crisis de los «socialismos autoritarios» en Europa central: ¿cómo conciliar el pluralismo necesario para una economía actualmente bloqueada y el poder exclusivo de un partido-Estado? Las tensiones crecientes vinculadas a este dilema insoluble no dejarán de repercutir sobre Europa occidental si se empecina en su vieja actitud: desplegar sin hacer nada. «Mientras Europa central no se emancipe, la seguridad de los europeos del oeste seguirá siendo incierta.»

Y cuando, en eso, el gran rabino René-Samuel Sirat nos recuerda que la «Europa histórica» ha desaparecido con el Holocausto; cuando el antiguo arzobispo de Viena, el cardenal Koenig, nos rememora que la Europa histórica (y la de mañana) es inconcebible sin cristianismo, una cosa queda clara: los franceses tendrán mucho más para hincar el diente de lo que esperaban. Las visiones luminosas de una nueva Europa están siempre acompañadas por un tenebroso reflejo, el de la vieja Europa destruida y el de la nueva, dividida.

Tardamos en darnos cuenta de la caída de la noche. Nos llevan, bajo raudales de lluvia, al Quai d'Orsai, y unos señores trajeados, armados con gigantescos paraguas, nos acompañan al interior. Saludo el retrato de Richelieu, en el vestíbulo, como a un viejo miembro de la familia. A fin de cuentas, conozco desde hace años ese rostro pálido y altivo, de bigote retorcido; no resulta desagradable tener, de cuando en cuando, un punto fijo en el torbellino de la historia. Estamos sentados alrededor de mesas redondas, en sillas doradas, y por un instante olvidamos a los ausentes.

Entre Moravia y el cardenal, se encuentra Annie Cohen-Solal, y me sorprendo una vez más del amplio espectro de las posibilidades humanas: la cara de sátiro del viejo escritor comparada con la de pergamino mojado de su casi-vecino, que me sugiere irresistiblemente el internado de antaño. El cardenal lleva una camisa con un cuello blanco de puntas bastante largas que caen sobre un polo negro. Su cruz pectoral está metida en el bolsillo izquierdo, de manera que sólo se ve de ella la cadena de oro cruzándole el pecho. Debe de ser la última moda clerical, Ovando y Bravo también lo hace. Un mosaico de lubina, una roseta de cordero y un postre que también tiene forma de rosa; un Château-Carbonnieux 1982, un Château-Léoville-Poyferré 1979 y un champaña Piper-Florens-Louis 1975, nos dejamos acunar unos instantes por ese soplo tardío de la Belle Époque, pero compruebo entonces que las palabras siguen royendo, y no sólo en mi cabeza. Sólo una mitad de Europa está sentada a la mesa, la otra está fuera y espera. Pero eso ya lo había escrito antes de dejar Amsterdam.

Publicado por primera vez en el diario holandés *De Volkskrant* del 29 de enero de 1988, bajo el título «Siempre acompañado por un tenebroso reflejo».

# Recuerdos europeos

James Joyce en Trieste, Marcel Proust en Venecia, Rilke en Muzot, Kundera en París, Couperus en Florencia, Orwell en Cataluña, Diderot en Amsterdam, Seferis en Londres, Stendhal en Roma, Strindberg en Berlín: la discusión que mantenemos hoy es tan vieja como Europa, donde la identidad personal y la identidad nacional de cada uno se aguzan con la de la Europa de los demás, se aguzan y se miden. Cualquier discusión pública del siglo XX no es más que un derivado, basado en miles de discusiones semejantes de escritores con ellos mismos y de escritores con otros, actualmente y en el pasado.

A finales de 1987, cuando fui invitado a una conversación exploratoria con Dominique Fernandez en la Maison Descartes, que tiene buenas razones para encontrarse en Amsterdam, estaba leyendo el diario de Thomas Mann, el de 1933. Ese año, el de mi nacimiento, Thomas Mann se encuentra en Suiza. Está exiliado, no puede volver a casa, ni a su biblioteca, y medita con lucidez sobre la situación trágica de su patria y los amargos dilemas con los que se ven confrontados los que permanecen allí. Escribe asimismo frases angustiosas sobre lo que llama la «identidad» de los dos sistemas totalitarios que, en aquel momento, estaban en vigor en Europa, y de los cuales uno subsiste hoy en día. Son frases que, cincuenta años más tarde, no quisiéramos repetir en las reuniones de ese tipo, marcadas por un clima de buena voluntad. Pero ¿qué ha cambiado, en todo eso, a fin de cuentas?

En Alemania, muchas cosas, gracias a Dios. Pero ¿y en Europa, si nos empeñamos en considerar esta península en su totalidad? Tomemos Praga, una ciudad que sólo unas centenas de kilómetros separan del Munich de Mann; Praga, la ciudad de Kundera; la ciudad en que Václav Havel vive en *exilio interior*; la ciudad de donde Ludvik Vaculik, invitado a participar en una conferencia parecida a ésta, y que debía tener lugar en Amsterdam, contestó hace tres meses que no podría acudir. La policía había confiscado su pasaporte: «Incluso si esta conferencia tuviera lugar en Praga –escribía–, no podría asistir». Y añadía: «Con eso, ya tienen tema de discusión para su conferencia».

Sus palabras fueron leídas en público en Amsterdam y, si las retomo aquí, es porque creo que también se dirigen a nosotros. Lo último que deseo es perpetuar el repugnante clima de la guerra fría que dominó mi juventud. Pero ¿tengo otra opción? ¿Tenemos derecho a callarnos como si nada se opusiera a la idea de Europa que nos es tan grata, y como si una parte de la intelectualidad europea no estuviera cortada de esta misma Europa? Puede que haya llegado el momento de romper con esta espera resignada demasiado larga y de prestar una atención particular a las iniciativas comentadas desde hace algún tiempo con insistencia por Günter Grass, y que no dejarán, sin duda, de ser evocadas aquí.

Europa. Para poner algo de claridad en mí mismo y en mis afinidades europeas (es lo menos que se puede hacer), he hecho una lista de mis diez experiencias más europeas. Éstas cubren un campo que va de lo histórico a lo personal, de lo dramático a lo divertido, a lo sentimental y a lo anecdótico.

1. 10 de mayo de 1940. Tengo seis años. Alemania invade los Países Bajos. Vivimos junto a un campo de aviación militar. Junkers, Heinkels, stukas. Mi padre, que moriría unos años más tarde en un bombardeo, ha sacado una butaca al balcón y contempla el espectáculo. A lo lejos, vemos el arrebol del incendio de Rotterdam. Poco después, asistimos a la entrada del ejército alemán. Estandartes y una oleada interminable de hombres de gris. Música. Ése es el aspecto que tenía la historia.

2. Tengo trece o catorce años. En un internado, me educan los monjes. Primero, franciscanos, más tarde, agustinos. Imposible ser más europeo. Ambas órdenes se remontan a la Edad Media, nos han acompañado casi un milenio. Me enseñan lenguas que están en la base de nuestra historia: el latín y el griego. Además, aprendemos, como era costumbre en los Países Bajos de la época, francés, alemán e inglés.

Como el cerebro humano, hoy en día, es más pequeño que el de hace treinta años, los alumnos de hoy en día sólo aprenden una o dos lenguas extranjeras, los pobrecillos. El francés es, a menudo, la primera víctima de esta reducción.

3. Expulsado de todos mis colegios, vengo a Francia por primera vez. París es el primer momento de éxtasis de mi vida, pero pronto compruebo que el éxtasis se paga. Alguien me ha aconsejado comprar un abono de diez billetes de metro, que es más barato. Cuando bajo a las catacumbas (en un país situado a seis metros por debajo del nivel del mar, no se encuentra de eso), lanzando a mi alrededor miradas llenas de aprensión, encuentro un revisor que agujerea los diez billetes a la vez, un golpe duro para mi pobreza. El francés de los buenos padres agustinos no está a la altura de esa situación parisina. Lo intento de todos modos, y me contesta: «Lárgate, gilipo-

llas». Lo entiendo sin entenderlo, y también entiendo que, para tener derecho a estar en esta ciudad, hay que hablar el francés con fluidez. Lo aprendo de los camioneros entre Lille y Saint Étienne, Bayona y Nancy. Que yo sepa, no existe otra solución. Debería haber olvidado este incidente, pero, como ven, no lo he conseguido.

4. Hago auto-stop, la lección de Europa más ejemplar que me haya dado nunca a mí mismo. A través de todo el continente, hasta Suecia y Noruega, pero sólo en Provenza, en Arles, comprendo cuál es mi destino: el sur, el mundo mediterráneo. Eso no ha cambiado nunca desde entonces. Enardecido por el amor de una joven francesa y por el libro que me da, *Le Mas Théotime*, de Henri Bosco, escribo, a la edad de veinte años, una novela que se sitúa en parte en Provenza, la historia de una búsqueda que atraviesa toda Europa, de un Graal anhelado, encontrado y, naturalmente, perdido.

5. LLego a Roma, donde las páginas de Tácito y de Ovidio, conquistadas a costa de tanto trabajo, empiezan a tomar vida. Me siento conmovido por esa nostalgia eterna y, en ocasiones, sospechosa, de la gente del norte respecto al sur. En la forma bárbara que de ella conocemos en la actualidad (mis amigos españoles hablan de los bárbaros del norte, de los nuevos Atila), sólo busca el sol de saldo y destruye al mismo tiempo un paisaje anti-

guo. Pero, en una forma más noble, aspira a todo aquello de lo que el sol es rey, lo apolíneo. Un monje originario del convento donde yo he hecho mis estudios es ahora *sacrista* del papa Pío XII. He trabajado en las vendimias, pero ya no me queda dinero. Pido una audiencia. Esta vez, me vuelvo europeo también en el sentido histórico, ya que, precedido por un guarda suizo con alabarda y uniforme diseñado por Miguel Ángel, avanzo por los pasillos del Vaticano, a lo largo de los bustos de César, Séneca y Cicerón, y de todos mis padres; oigo en la antecámara de felpa roja la voz del cortesano diciendo: «*Ma, Eminenza, si, si, Eminenza*». Y, cuando la púrpura aparece en la sala, me arrodillo, beso el anillo y recibo mil liras. El Vaticano también forma parte de Europa.

6. 1954. España. Por primera vez. Más tarde, este país se convertirá en el amor constante de mi vida. Pero, en esa época, todo, el idioma, el pueblo, el paisaje, me parece el reverso secreto y sombrío de Italia. Felipe II contra Casanova, Zurbarán contra Tiépolo, las altas planicies ascéticas de la meseta contra la placentera Umbría. Tenemos, después de todo, un panteón europeo para clarificar nuestras intenciones. Asisto a una misa celebrada por un jesuita de la División Azul, que se batió en el frente del este, cascos alemanes, cruces de hierro, camisas negras: ya no entiendo nada. En los años siguientes, con las

sutilidades de la lengua, voy comprendiendo mejor los matices de la dictadura, de la censura y del exilio. De esos años negros para España, aprendí que ciertas situaciones no son necesariamente desesperadas y que ciertos pueblos saben vencer sus destinos.

7. Budapest, 1956. Con las primeras noticias, allí fui. Una vez más, el olor a pólvora, ese curioso olor a chamuscado. Los cadáveres de los miembros de la policía secreta, con la boca llena de billetes, los transeúntes que les escupen encima. Y siempre esta pregunta: «¿Cuándo venís a ayudarnos?». Todo eso es inolvidable, una vergüenza indeleble. A mi regreso, el PEN-club holandés quiere excluir a los escritores comunistas. Me opongo a ello y dejo el PEN-club. Pero Budapest ha marcado de una vez por todas mi pensamiento político, tengo veintitrés años, escribo mi primer artículo de periódico, que termina con: «¡Rusos, volved a casa!». No me hicieron caso.

8. 1957. Me he enrolado como marinero y parto hacia América del Sur, adonde voy a ver qué representa esa extensión de la civilización europea que llamamos colonialismo. Nuestro adiós a Europa es Lisboa, la ciudad de Pessoa, pero también la del holandés Slauerhoff, médico de a bordo y poeta, que no podrán leer porque nuestro idioma es secreto. *Tant pis pour vous.* Lisboa, Amsterdam, Venecia, capitales amadas de imperios desaparecidos,

lecciones de historia para Londres y París. La hegemonía no es eterna.

9. Praga 1968. París 1968. Allí estoy (en París) y llevo un diario de a bordo que publicaré más tarde. La rebelión ruge en dos salas de lo que Mijaíl Gorbachov llama ahora la «casa común», Europa. A cada lado de esta casa, algo es ahogado, enterrado, aniquilado. Václav Havel, hablando de su lado, evoca el stress de una sociedad a la que no se otorga el derecho de vivir en la historicidad. Pero ¿qué ocurre aquí? La herencia de mayo de 1968 ha sido, por una parte, el advenimiento de una generación antihistórica, descomprometida, que no quiere complicarse la vida y parece haber suprimido el pasado en beneficio de un presente fluido y sin consistencia; y, por otra parte, las sectas amargadas del terrorismo en Francia, en Italia y en Alemania, que quieren, al contrario, forzar violentamente la puerta de la historia para acelerar su curso.

Les ahorro el número 10, era una antología: de las campañas electorales de Harold Wilson, de Felipe González, un peregrinaje a Santiago de Compostela, una visita de Jruschov a Berlín Este, una conferencia de prensa de Charles de Gaulle en el Elíseo. Todo ello materia extraña para un poeta y, en cualquier caso, demasiado abundante.

Así es mi Europa, vista desde la periferia. En verano, acunado por la música en lengua catalana, vivo en una isla mediterránea. En invierno, vivo en Holanda, ese país exótico a cincuenta minutos de avión desde París y Londres y, sin embargo, tan desconocido como Amazonia. Veinte millones de personas hablan nuestro idioma y, a menudo, el de los demás. Se nos conoce bastante mal y se nos ha encerrado en clichés. Eso es, en parte, por culpa nuestra, ya que nos hemos parapetado, más o menos taciturnos, tras nuestras líneas de defensa acuáticas, tribu extraña que, para unos, se duerme con un tulipán en la mano y, para otros, toma hachís frito para desayunar, país cuya literatura desconocida empieza apenas a ser traducida. Un país considerado pequeño, pero que es el mayor inversor en Estados Unidos, en números absolutos. Prácticamente bilingüe (el diecisiete por ciento de la producción inglesa del libro se vende en los Países Bajos). Criticado y señalado por cierto número de principios libertinos a los que nos cuesta mucho renunciar, pero también laboratorio único en su especie, del que naciones mayores podrían, en ocasiones, inspirarse con éxito.

Si es que tengo conclusiones que formular para el bien de esta Europa, la nuestra, podrían ser las siguientes: que todos los pueblos que la han integrado en el pasado sigan integrándola en el pleno sentido de la palabra; que los grandes aprendan de los pequeños y de su historia; que se anulen las tarifas usureras que impiden nuestros viajes intereuropeos; que el sur no intente imitar al norte en su búsqueda de una modernidad sin alma; y que el norte sepa contemplar detenida y atentamente el sur, con su ritmo y sus tradiciones, y por sur entiendo el verdadero sur, aquel del que todo proviene.

Publicado por primera vez en el diario holandés *De Volkskrant* del 29 de enero de 1988.

## La caída de los profetas

¿Qué tenía el final del siglo XIX tan especial para que se le diera nombre? *Fin de siglo*, ese estilo con el cual el siglo pasado nos hace su reverencia de despedida. Para el final de éste, tendremos que buscar otra expresión, fin de milenio, ¿por qué no? Al fin y al cabo, muchas cosas finalizarán de aquí a unos años, si no en la realidad, por lo menos en cifras. Un número arbitrario de miles se encamina lentamente hacia una cuenta redonda, lo cual, obviamente, pone nerviosa a mucha gente, como ocurrió mil años antes. En esa época, el mundo era presa de las hambrunas, las catástrofes naturales, la confusión política y las angustias que de ello derivan. Se pensaba que el mundo iba a desaparecer. Era la primera vez, después de Jesucristo, en que tres ceros se perfilaban en el horizonte, anunciando por fuerza el fin de los tiempos. Europa se alimentaba de fantasmas de fatalidad, de visiones apocalípticas, de pesadillas milenaristas. Se veía en la época una ruptura que hoy en día ya no es perceptible, y harían

falta exactamente mil años para que los mismos senti-
mientos de angustia reaparecieran bajo otra forma, de
momento todavía bastante moderada.

Esta vez, nadie ha anunciado el fin de los tiempos,
nos hemos hecho demasiado astutos para eso: sabemos
que el tiempo sigue girando a pesar de todo, aunque no
vivamos para medirlo. El universo ya ha demostrado que
puede vivir sin nosotros. Por lo tanto, esta cuenta ya no
es de recibo, y por eso mismo se anuncia ahora, desde las
torres de barro de las comunicaciones, el fin de la historia y de la gente que la integra. En Kíev, en Teherán, en
Bogotá, en Phnom Penh y en Río de Janeiro, no se les
ocurrirá esta idea de momento. La superstición es tenaz,
incluso cuando escribe con ordenador y se llama Hegel.

Dicho esto, debo admitirlo: los ceros son muy her-
mosos. Los mayas ya tenían el cero miles de años antes
que los europeos (casi todo el mundo: los indios, los
egipcios, los babilonios tenían ya algo miles de años antes que los europeos; la razón que un día incitó a alguien
a calificarnos de primer mundo es para mí un misterio),
utilizaban la concha redonda del caracol para represen-
tar esta cifra que existe sin existir, puesto que los ceros
deben ser redondos y por ello perfectos, vacíos pero lle-
nos; se contradicen tan ruidosamente que confieren al
uno (y ahora al dos) que los precede una singular plus-

valía, aunque, con respecto a mil años antes, está más bien devaluado. Pero, en aquella época, no tenían congresos para preguntarse por sus angustias y por el nuevo fin de los tiempos. La gente, en la Edad Media, no sólo creía que la Tierra no tenía más que unos miles de años (ni siquiera Kant, setecientos años más tarde, iba más allá del millón), sino que, excitados por el número mil, también estaban convencidos de que el final se aproximaba. Para cuándo exactamente, todo dependía de si se contaba a partir de la concepción, del nacimiento o de la muerte de Cristo.

Los curas y los clérigos de la época se han convertido en los escritores y los intelectuales de hoy; los servidores, incluso a su pesar, de una Iglesia fluida, efímera, sin papa ni edificio; ya no se reúnen en las catedrales ni en las salas capitulares, sino que celebran sus concilios incesantes en las salas de congresos, donde una multitud más o menos creyente y ávida sufre respuestas ambiguas, casi siempre divergentes y contradictorias, apodícticas o evasivas, a preguntas a las que resulta imposible contestar sobre el futuro del fin o el fin del futuro.

Pero –dirán– si, según dice, resulta imposible contestar a semejantes preguntas, ¿que hace usted aquí?

Pues estoy aquí porque respeto esas preguntas por lo que son, pero deseo explicar por qué no puedo, en ningún caso, aportar respuesta alguna; para mí, el pensamiento que preside estas preguntas, si no es erróneo, por lo menos va desencaminado. Dicho pensamiento, si he entendido bien, consiste en que es posible confiar misiones a la imaginación, que es fuente de todas las artes, encargarle aquello de lo que los organizadores de esta manifestación la estiman particularmente capaz; tomo un ejemplo al azar: «la existencia de una fuerza integrante en una sociedad multicultural». O es o no es, pero no podrá serlo nunca sólo porque uno lo haya decidido así. Supongo que una de las 738 descripciones de la obra de Mozart es que puede ser «una fuerza integrante en una sociedad multicultural», pero Mozart, aparte del *Rapto del serrallo* concebido por su libretista, no se interesó jamás por el tema. Si me encuentran frívolo, es porque el fin de los tiempos no me preocupa nada. En él he pasado toda mi vida.

En uno de mis libros, hay un párrafo sobre los ceros apocalípticos:

Mil, mil, la palabra silbaba y centelleaba de boca a boca entre la pequeña tropa. Lucia había sentido sobre ella el brazo de Anna, le había preguntado si era cierto, y Anna había sonreído balanceándose al ritmo del grupo: mil no era más que una medida inventada por los hombres, había dicho, y cuando se llegaba cerca de ese número, algunos sentían la atracción de una especie de aspiración, de un soplo que los liberaba de golpe de la obligación de contar, porque contar les recordaba la inminencia de la muerte y la gente, por temor a morir, aspiraba justamente a la muerte, y preferentemente colectiva.

Esta cita está sacada de mi libro *En las montañas de Holanda.* Como saben, no hay montañas en Holanda. Los escritores, por lo menos en mi idea, son gente que habla de países imaginarios o que dan a países existentes montañas que no existen. En resumen, gente que no imita con brío lo que llamamos realidad, en virtud de una receta aristoteliana mal interpretada, sino que, al contrario, utiliza las posibilidades infinitas del arte para traicionarla, subvertirla, invertirla, arrollarla o intensificarla, porque, de otro modo, este mundo no sería soportable. Hacen así lo único que saben hacer realmente: fabular, mentir, jugar a los ilusionistas. El resto es para la televisión, los políticos y los sociólogos. Son los buenos o malos custodios de la verdadera realidad y, si mienten, en cualquier caso no se trata de arte.

En mi grave patria donde, antes de autoproclamarse conciencia del mundo, se era perfectamente capaz de asociar la trata de esclavos con el canto de los salmos, las almas siguen impregnadas, en el fondo, de tanto calvinismo que se exige a los escritores que se ocupen de los rumores del mundo; y, desgraciadamente, con ello no se entiende el canto elevado de la transcendencia, sino las formas de realismo psicológico en que se presenta un espejo a la sociedad. Ese tipo de libro me aburre mortalmente, y reacciono manifestando signos exasperantes de ligereza, aunque sólo sea por alergia a la maldición con que las comunicaciones quieren envolvernos como en un sudario. Y, sin embargo, he crecido con una bomba que cada día podía caer, que veinticuatro horas al día no dejaba un solo instante de sobrevolar el mundo existente. He vivido la segunda Guerra Mundial y la austera confusión que la siguió, soy un contemporáneo de la descolonización y de las guerras lacerantes que la acompañaron; y todos esos años me encontré, como todos los de mi generación en Occidente, en un mundo dividido en dos, esquizofrénico, viviendo en la angustia inculcada por un poderoso enemigo que el año pasado se tendió de repente en el suelo, con toda su armadura. ¿Y ahora se me pide que, antes incluso de haber tenido tiempo de regocijarme en un mundo que ya no puede desaparecer bajo mis pies de un momento a otro, me ponga de inmediato a temer a otros enemigos del interior y del exterior, por nuevas profecías de muerte y de desgracia y nuevos ritos de culpa y de expiación? Ni hablar. No es que quiera retirarme del mundo, pero sí tengo ganas de contemplarlo con el *sub specie aeternitatis* de Spinoza. El profesor Schopenhauer me enseñó que el hombre es un insoportable reincidente, y el profesor Hegel no consiguió nunca convencerme de que el espíritu del mundo alcanzaría un día un estadio tan deslumbrante de comprensión de sí que todas las angustias se desvanecerían. Para Hegel, los días de paz eran páginas blancas en el gran libro de la historia. Pues bien, espero que esas páginas blancas sean numerosas en el último cuarto de mi vida, ya que, para mí, sólo existe una potencia que, entre nuestras dos muertes, haga nuestra vida llevadera: la de la imaginación. Como sé por experiencia que nada la aguza más que las páginas vacías, esperemos que haya tantas como sea posible antes de que la asincronía del mundo ataque de nuevo, de que el mundo histórico, por retomar los términos de Fukuyama (que tampoco es bien comprendido por sus ecos), se mezcle de nuevo con las anales del mundo posthistórico, y de que la última humanidad se consuele en los refugios subterráneos con los productos de la imaginación esperando por enésima vez que acabe el bombardeo. También puedo presentar las cosas de otro modo: si de verdad quiero saber algo de la vida en la Tierra, me vuelvo hacia Borges o Celan, Mahler o Schönberg, Rembrandt o Saura. Estos nombres se pueden substituir por cientos de otros. Lo que no hago, en todo caso, es lanzarme en informes al uso. Porque, si la historia puede interrumpirse de cuando en cuando, nunca es el caso en la poesía.

Pero volvamos a las preguntas que se me han hecho. Me llegaron bajo forma de carta, pero tuve la sensación de que esa carta, esa simple hoja de papel, se transformaba lentamente en un muro de mármol donde se grababan esas insistentes interrogaciones. Cuanto más reflexionaba sobre ello, más crecía el muro. Me quedé tan pequeño, que casi no conseguía leerlas. Cuando me convencía de haber encontrado una respuesta, ésta parecía un susurro, el extraño chirrido del que no es ni sociólogo ni profeta. Un potente zumbido emanaba de esas preguntas, necesitaría una voz estentórea para contestarlas así, *ex cathedra, urbi et orbi*, y no poseo ese tipo de voz. ¿Qué tenía un hombre como yo que decir sobre la posible «incidencia» de los cambios políticos y de las catástrofes ecológicas en la literatura? ¿Una posible incidencia? Mi respuesta sería decirles en un susurro, señoras y señores, que todo tiene una incidencia en la literatura. Hay, en la casa de la literatura, un número infinito de apartamentos donde viven escritores extremadamente diferentes. Uno no se preocupa en absoluto por los cambios políticos y escribe sobre un perro muerto en el borde de la carretera, y otro no se preocupa en absoluto por los perros muertos y escribe sobre el *gulag* o sobre el bizcocho que se comió treinta años antes.

Además, ¿creen ustedes realmente en la literatura? Porque, en ese caso, quizá habrían hecho la pregunta inversa: «¿En qué medida depende la realidad de la literatura?». Sería ir demasiado lejos, me dirán, pero es lo mismo. Sin Homero, no habría guerra de Troya; sin Balzac, no habría burguesía francesa del siglo XIX; sin Joyce, no habría Dublín; sin Shakespeare, no habría Ricardo II; sin Musil, no habría monarquía austro-húngara e inversamente. Los escritores no se basan en estadísticas, sino en paradojas. En este momento, alguien, en Uzbekistán o en Zimbabwe, escribe un libro en el que se aprende más sobre la vida en la Tierra que en un año de televisión o que en una tonelada de periódicos.

La segunda pregunta está, en parte, formulada en una terminología militaro-mercantil que no me resulta familiar. La primera parte de la pregunta trata de saber si Occidente absorberá a Europa del Este también en el plano de la literatura. ¿Qué Occidente? Y ¿quién? ¿Por qué medios? ¿Hablamos de escritores o de editores, de talento o de economía? Henry James no absorbió a Dostoievski, ni Turguéniev a Flaubert. Y quién sabe si Conrad, Nabókov, Gombrowicz y Kundera no se habrán absorbido a ellos mismos; pero quizá no sea éste el sentido de la pregunta y, en cualquier caso, tenían derecho a hacer lo que quisieran. Todos esos escritores son leídos en todo el mundo, y cada vez más. Lo encuentro formidable. En estos últimos años, se ha traducido en Europa a más autores no europeos, aunque no los suficientes todavía, ni mucho menos, pero ya es algo. Las distintas regiones del mundo empiezan a entrelazarse unas con otras con infinita lentitud. La segunda parte de la pregunta presupone, por retomar el término empleado, que existe una diferencia intrínseca entre la literatura del este y la del oeste, e intenta averiguar si éstas podrían dar lugar a algo en común. ¿Es eso indispensable? Y, en ese caso, ¿para quién? Existe, por lo menos en mi opinión, una única comunidad, la que constituyen el lector y el autor y que es perfectamente autónoma. Gracias a ella, un lector del siglo XX en Caracas se pasea con toda soltura por la avenida Ñevski del San Petersburgo de hace ciento cincuenta años; otro, en Costa de Marfil, sigue a caballo a un hidalgo loco de la Mancha, sin que éste lo sepa y, del mismo modo, un lector de Novosibirsk se sienta en la galería de una mansión de terrateniente arruinado del Mississippi de principios de siglo, transformado para él por Faulkner en Yoknapatawpha Country.

Bueno, quizá sea necesario que alguien haga estas preguntas, pero yo no conozco las respuestas. No concibo la cultura como algo que, según lo afirma el texto, conquista, y los criterios que deberían determinar lo que es una obra maestra hoy en día son para mí los mismos que siempre han sido, a saber: si lo que se ha escrito actualmente puede medirse con lo mejor que se haya escrito jamás, cuestión que los contemporáneos son casi siempre incapaces de dilucidar o que no pueden juzgar. Respecto a la quinta pregunta, las dimensiones sociopolítica y moral a menudo han dado lugar, sobre todo cuando son voluntariamente integradas, a los peores libros, destruyendo por eso mismo su propio fundamento moral, mientras que el estetismo puede ser una moral en sí. ¿Es ésa razón para deducir que cualquier juicio es imposible, que no se puede esperar, pedir o exigir nada a la literatura? ¡Naturalmente que no, háganlo! Pero sean conscientes de que la literatura no está aquí para aportar respuestas, sino para plantear preguntas, las preguntas que ella misma suscita, no las de los demás. Siempre se subestima la capacidad de la literatura de no encontrarse nunca allí donde el que hace las preguntas más serias lo imagina o lo exige. Aquel que no haya visto en Proust más que el esteta, más tarde resultará que no ha captado la dimensión social, psicológica e histórica de su obra; el que haya buscado la moralidad en la literatura decidiendo evitar a Sade o a Bataille puede haberse equivocado, después de todo; el que ha aspirado a una literatura portadora de un mensaje político puede ahora echarse a llorar por un gran número de autores olvidados con razón, que tenían respuesta para todo y deseaban la felicidad del mundo, pero que carecían de algo: el talento.

Admitirán ustedes que me siento concernido por las catástrofes ecológicas. Por esa misma razón soy, como persona y no como autor de ficción, miembro de ciertas asociaciones, y voto en mi país a un partido que pienso hará todo lo que esté en su poder por evitar ese tipo de catástrofes. Me encontraba en Alemania en 1989, en Hungría en 1956, en Irán en 1976, en París y en Bolivia en 1968, y he escrito sobre todo ello, pero no en mi poesía, ni en mis novelas, ya que sencillamente no creo que la ficción, por lo menos en mi caso, esté para eso. Estaba presente cuando un día, en Amsterdam, alguien preguntó a Claude Simon, que ha escrito páginas aterradoras sobre la segunda Guerra Mundial, qué pensaba de la guerra del Golfo. No tenía nada que contestar e intentó decir que, al escribir sobre cierta guerra, había escrito sobre *la* guerra, sobre la idea de la guerra, esa abominación perpetrada por las personas y perteneciente a la historia como una sombra permanente, y que, de ese modo, había expresado mejor lo que es la guerra que todo lo que pudiera decir sobre una guerra cualquiera en una reunión cualquiera. El arte no necesita transmitir mensajes de alguien, él es su propio mensaje, expresa, mediante una química de las más secretas y a menudo invisible a los ojos de los contemporáneos, la realidad como ningún otro medio de expresión permite hacerlo. Con frecuencia habla de lo que nos resulta difícil hablar, y resurge de las cavernas y recodos de la psique humana con suposiciones, sueños, sugerencias que nadie quiere oír todavía en ese momento. *El grito* de Munch y una historia de Kafka predicen más que miles de futurólogos, un capítulo de Proust revela más que cientos de sesiones de análisis, y una página de Kabawata dice más del erotismo que diez informes de Kinsey. Pero, para eso, no hay que encargar misiones al arte, ni apropiárselo. En un pueblo de la Mancha, un alcalde ha reunido una colección de ejemplares de *Don Quijote* que han pertenecido a gente célebre. Entre ellos se encuentran los de Adolf Hitler y Yósief Stalin. Por lo visto, ese libro, que expresa mejor que cualquier otro lo sublime de la libertad del hombre, no aportó nada a esos amos de esclavos.

Y ya he vuelto a mi punto de partida: la imaginación no tiene más punto de partida que ella misma. No está exenta de valor, pero no puede proporcionarlo por en-

cargo. Tiene sobre el mundo el efecto de una fuerza sub-
versiva, consuela, revela, resiste, medita, sigue su propio
camino, aparece siempre allí donde nadie la espera y
siempre se asombrará de nuestras exigencias y preguntas. Poesía, ficción, imaginación, siempre se trata, como
lo expresó Marianne Moore de manera inimitable, de
una cuestión de *imaginary gardens with real toads in them*,
de «jardines imaginarios con auténticos sapos en ellos»,
¡intenten atrapar uno!

Ponencia presentada en el simposio «El giro de la literatura» en Munich en 1992.

# La cuestión de Bruselas

Europa está, de nuevo, a la orden del día. En la actualidad, los escritores se plantean si existe una ficción europea y qué genios la inspiran o la alimentan. ¿Existe un pensamiento sensible, una visión del mundo, una modalidad de la ficción propios de Europa?

*That was the question.*
¿Existe una ficción europea? En el lugar ilimitado donde habitan los personajes inventados, alguien había oído la cuestión planteada en Bruselas. Quién era exactamente, la historia no lo aclara. Unos dicen que el Barón de Charlus, otros afirman que era Ulrich sin atributos, y otros aventuran que era Stephen Dedalus el que la planteó primero. En el café sin fronteras donde se reúnen por la noche –un tipo de café como el que Witold Gombrowicz frecuentaba en Buenos Aires– esta cuestión era el pan de cada día. Todo el mundo hablaba de ella. Don Quijote, Los Tres Mosqueteros, Bouvard, Adrian

Leverkühn, el príncipe Segismundo, Josef K., la Reina de las Nieves, Ulises, los hermanos Karamazov.

Esto no tiene nada de raro.

Los personajes inventados poseen un orgullo muy especial y también su vulnerabilidad. En cierta manera, la mayoría de los personajes inventados ha sobrevivido a infinidad de personajes no inventados. Por otra parte, los personajes inventados dependen forzosamente de los no inventados. En cuanto éstos acaban la lectura, adiós a los jóvenes Werther, los Hamlet, los Don Juanes, los Dráculas y las Madres Coraje, por descontado.

El Señor Plume, el Señor Teste, el Señor Palomar y Ricardo Reis comentaban la necedad de los no inventados que, cada vez que ponían en duda la existencia de los personajes inventados, descomponían de forma evidente su propio marco de referencia.

¿Cómo se las arreglarían para explicarse unos a otros los problemas de sus vidas breves y fugaces, si no tuvieran a su disposición las palabras clave que los personajes inventados les suministraban constantemente bajo la forma de su nombre?

¿Sería todavía posible hablar de la duda sin sacar a Hamlet de su sueño, se podrían aún evocar ciertas formas de relaciones sexuales si Don Juan no estuviera dispuesto a efectuar día y noche horas extras, si Josef K. no

viniera a apoyar al periodista de tercera fila que se cre-
yese obligado a dar su opinión sobre la burocracia o los
horrores del estado totalitario?

Se dejaban explotar –ésta era la opinión general– y
siempre había sido así. Naturalmente, había puristas que
consideraban que unos personajes inventados no eran
realmente dignos de este nombre a no ser que se supie-
ra quién los había inventado, lo cual llevaba a excluir
esas figuras míticas suscitadas por la ficción acumulada
del mito, pero la mayoría había abandonado desde hacía
tiempo esta opinión, de manera que, en los últimos tiempos, veíamos de forma regular a Otelo en compañía de
Psique y de Odín, y la amistad entre Dido y el Idiota tampoco pasaba desapercibida. E incluso, a medida que au-
mentaba el miedo a la no lectura, la frialdad que siempre
había reinado entre las diferentes figuras de un mismo
personaje inventado (o más bien de un personaje inventado que era a la vez él mismo y otro), desaparecía, y se
veía a veces al Don Juan de Tirso de Molina presentarse
con los Don Juanes de Byron, de Da Ponte y de Molière
y, recientemente, había tomado forma un movimiento
para dejar espacio igualmente a los grandes títulos que
tanto habían marcado la Historia de Europa, de manera
que, sobre la plaza infinita que se extendía ante el café,
se podían presenciar conciliábulos entre el Elogio de la

Locura, la Divina Comedia, el Capital y el Tractatus Logico-Philosophicus, conversaciones seguidas con la mayor atención por la Imitación de Cristo, la Crítica de la Razón Pura, el Origen de las Especies y la obra maestra militar de Clausewitz, cuyo nombre nadie conseguía retener, a pesar de haber ejercido tanta influencia.

«Lo que estos idiotas no entienden», decía el Ser y la Nada dirigiéndose a Un Héroe de Nuestro Tiempo y a Diótima, «es que la propia Europa, para empezar, es una invención, ya que normalmente, las hijas de unos reyes fenicios no van a montarse en el primer toro que pase para que les lleve a Creta y aparentemente tampoco comprenden, según la cuestión planteada, que con la variedad de lenguas en las cuales hemos escrito y las ideas que representamos de toda nuestra energía inventada o pensada, hemos hecho de Europa una gigantesca telaraña euclidiana de referencias cruzadas, tan real como el suelo que ellos pisan, pero sin sus débiles fronteras».

«¡Las fronteras!», exclamó Zenón, que, con su acento triestino, hablaba al Conde Leinsdorf y al Mundo como Voluntad y Representación, «¡cuando vemos las tonterías que han hecho cometer a los hombres! ¡Sólo tenéis que abrir un libro sobre el Sacro Imperio Romano Germánico o, simplemente, fijaros en los Balcanes del siglo pasado! Todos esos desmoronamientos, trazos, líos de divisiones cada dos por tres desplazadas, encargadas de designar conquistas, derrotas, caprichos personales, ducados, *no man's lands*, marquesados –no han hecho otra cosa que interpenetrarse, meterse en sus lenguas recíprocas, imponerse mutuamente sus religiones y sus ideas, el todo al servicio del azar saqueador de su historial».

«Se trata de saber a qué llamamos azar», apuntó el Rey Lear, rápidamente secundado por la Celestina y la Suma Teológica. «Veamos por ejemplo la historia de España», dijo la Rebelión de las Masas. «Si en el siglo octavo, los reyes de Asturias, en el norte de España, único territorio junto con Navarra que quedó fuera de la ocupación musulmana, no hubieran iniciado rápidamente la Reconquista que acabaría siete siglos después, toda Europa estaría ahora probablemente islamizada». «Del todo cierto», dijo la Filosofía de la Historia, mientras que Cándido se reía irónicamente en un rincón. «Entonces, la mayoría de nosostros no hubiera llegado a existir», dijo, «y tampoco es una idea muy atractiva».

«Azar o necesidad, no nos libraremos nunca de ello», dijo Settembrini al Marqués de Bradomín. En realidad, ¿qué tipo de personas eran estos reyes de Asturias? Jefes de bandas, grandes propietarios, capitanes locales, caudillos, hombres que luchaban por el poder. Habrá que esperar a Pelayo para que las peripecias de la monarquía asturiana tengan por fin un poco de claridad».

La Duquesa de Guermantes bostezó, pero la Comedia Humana le hizo el siguiente reproche: «Señora, si hay alguien que deba mostrar comprensión por estas sutilezas altamente europeas, es usted. Estas dinastías –y evitaba cuidadosamente el pronunciar la palabra a la americana–, estas dinastías a las cuales usted misma pertenece, ya que lo inventado tiene aquí más prestigio que las borrosas imprecisiones de una antigua historia no inventada, estas dinastías siempre se parecen, en sus representaciones gráficas, a una pirámide invertida o a la desconcertante red del metro de una ciudad demasiado grande. La coagulación de nombres produce sin cesar nuevas estaciones, la abstracción alcanza tales dimensiones que ya no se cree que unos seres, detrás de estos nombres, hayan existido realmente. Semejante pirámide es evidentemente una construcción de carne donde el potentado ocupa la cima, por encima de los muertos que le han creado, con su impresionante serie de alianzas y de matrimonios. Vemos el ajuste, la aglomeración de sus armas, de sus blasones, de sus cuarteles, y sabemos que cada uno de estos movimientos representa acoplamientos y alumbramientos, amores interesados, un juego de sociedad realmente europeo pero cuyos peones son siempre hombres, voces que pronuncian palabras, últimos suspiros, firmas al pie de cartas cubiertas de telarañas. La epopeya islámico-asturiana sólo es un ejemplo, Estamos constituidos de miles de historias de este tipo. Todo este continente sólo es un palimpsesto, un vertiginoso sintagma».

«Pero ¿escrito por quién?», preguntaron las Confesiones, esas dudosas gemelas de las cuales una había nacido mucho después que la otra. «El que está ahí arriba», dijo señalando con la mano María Estuardo –más bien la de Schiller que la verdadera–, pero esta opinión suscitó escaso entusiasmo. Por lo general, no gustaba hablar de autores, cualesquiera que fuesen. Al hablar de este asunto, la comunidad de los inventados era claramente más inteligente que la de los no inventados. Los únicos no inventados con quien los inventados mantenían relaciones eran los lectores. Por lo demás, consideraban sobre todo a los no inventados como un material platónico susceptible de ser utilizado para la creación de nuevos inventados, lo cual, desde su punto de vista, es bien comprensible. Por lo general, los personajes inventados que estaban inspirados en personajes históricos no decían gran cosa, pero en esta ocasión el Danton de Büchner no pudo contenerse. Era perfectamente consciente de su estatuto dudoso dentro de esta sociedad, estatuto que, como en el caso de Enrique VIII y de Berenice, se debía al talento de un autor normalmente ignorado, pero esta vez no podía mantenerse callado. «Si los almohades y las otras dinastías musulmanas no hubieran permanecido varios siglos en Córdoba y Toledo, toda la herencia de la cultura griega no la hubieran permanecido varios siglos en Córdoba y Toledo, toda la herencia de la cultura griega no la hubieran podido traducir los maestros árabes y entonces no hubiera perdurado hasta la Europa del Renacimiento», exclamó. «Me gustaría que consideraran este hecho como un fruto del azar ya que, como ustedes podrán comprender, yo tampoco soy un acérrimo defensor del famoso sentido de la historia, y por ello considero que el azar, con todas sus implicaciones laberínticas, es el Santo Patrón de Europa.»

«¡Oídle, oídle!», dijo Mr. Pickwick, que no se había enterado de lo fundamental de la conversación pero que amaba las palabras pronunciadas con acaloramiento y, en esta ocasión, incluso la Enciclopedia era de su opinión.

La conversación había decaído un poco. Los personajes inventados tienen una conciencia trágica del equilibrio singular existente entre su origen, que –como sabe todo aquel que conozca a un escritor– depende de un cúmulo de casualidades, y la influencia que ejercen a veces en la vida de sus lectores no inventados. Conocen su situación, imposible de definir por completo, en el pandemónium de las referencias europeas, su función tan pronto efímera como fatal en la polinización cruzada de las ideas, de las evoluciones, de los modos de pensar imbricados que se destruyen mutuamente, de los estilos de toda una serie de doctrinas sucesivas y de dogmas más o menos caducos, que habían provocado tantos trastornos en la historia personal y general de los personajes no inventados.

«Una cosa está clara», dijo La Gaya Ciencia a Marcel de la Recherche, «que existimos». Todo el mundo estuvo de acuerdo, desde Ana Karenina hasta La Regenta. Algo como una vibración recorrió al grupo y, aunque nadie dijera nada, todos teníamos la impresión de estar oyendo una especie de murmullo cargado de pensamientos y alusiones, una brisa prácticamente imperceptible, pero de una tonalidad europea de tal magnitud que a unos observadores ajenos a la situación les hubiera costado trabajo percibir los motivos musicales ocultos provenientes de todas partes, desde himnos célticos hasta una conversación susurrada en la corte de los Borgia, el sonido producido por un joven judío de los alrededores de Leyde al sacar brillo a unas lentes en el siglo XVII, el burbujeo de las retortas de alquimia, el ruido de una pluma al firmar

una bula papal, el arrastrar de unas sandalias peripatéti-
cas, unos llantos ahogados en los vagones de ganado, camino del Este, el Salve Regina cantado en una abadía cis-
terciense de los Pirineos, los martilleos en la puerta de
una iglesia de Wittenberg, el eco de un madrigal en el
Gran Canal, el canturreo de algún pintor que trabaja en
una ronda nocturna, todo ese tipo de sonidos gracias a
los cuales un continente se habla suavemente a sí mismo.

«Quizás», dijo una voz vacilante de la cual nadie, de
momento, supo de dónde venía pero en cuyo acento holandés todo el mundo se fijó, «quizás deberíamos ayudar
un poco a esas gentes de Bruselas».

«Sí, pero ¿cómo?», preguntaron a la vez Julia, Julieta
y la Srta. Julia.

«Quizás», siguió la voz, «deberíamos sugerirles que
usaran su modesta influencia para hacer de tal modo
que, por una vez, el inventado y el no inventado coinci-
dieran de forma clara y visible a los ojos de todos».

«Y ¿haciendo qué?», preguntó la señora Dalloway.

«Poniendo a la primera estrella importante que se
descubra en un porvenir no muy lejano, el nombre más
europeo de todos los escritores no europeos», dijo la voz
cuyo propietario seguíamos sin identificar, «el escritor
que, en su propia existencia, ha conseguido abolir la
frontera entre ficción y realidad».

«Borges», susurró el Shakespeare inventado por Borges y que se parecía tanto al de verdad; y fue como si hubiera hecho una señal. Todos se levantaron, en aquel café que de repente parecía igual de vasto que un universo inventado, y salieron para ver si se vislumbraba ya la estrella.

Discurso pronunciado con ocasión de un simposio en Bruselas en 1989.

# Confusión antigua

La historia es todo lo que ha sido un hecho.

La historia es una substancia que se autosegrega, una concatenación que se dispara a sí misma de causas y efectos, de azares y fatalidades.

Si la historia es todo lo que ha sido un hecho, el hecho de constituir una parte y un producto de ella es a su vez un elemento del hecho que, por mediación nuestra, se convierte en historia. Nuestra percepción de la historia es, en el instante en que ésta se produce, aproximadamente la de una ameba en un organismo. Lo que hemos visto, visto y oído en persona, lo que hemos vivido o hecho, lo interpretamos seguidamente de manera anacrónica. Y lo confrontamos, lo comparamos con lo que otros, amigos, enemigos, vencedores y víctimas, han atravesado o creen haber atravesado.

Así se forma lo que llamamos el juicio, el recuerdo, la experiencia personal, algo que ha sido un hecho o no, pero que, de un modo u otro, se integra, como realidad, mentira o deformación, en el hecho que constituyc la historia.

Ahora quisiera dejar a un lado estas abstracciones y hablar de mi propia colección de recuerdos, deformaciones y posibles mentiras, siempre en relación con la misma guerra, que, por lo que puedo juzgar, no ha existido para la mayoría de ustedes en la medida en que no habían nacido en aquella época, pero que, sin embargo, debe seguir existiendo hasta que muera la última persona que la haya vivido. Naturalmente, lo que acabo de decir es falso. Ustedes saben que esta guerra ha sido un hecho; han leído libros o visto películas que expresan una realidad precisa; han visto u oído testimonios más o menos exactos o verídicos, testimonios que han interpretado bien o mal, de personas que conocieron la guerra realmente, de personas que les han explicado o no que, a lo largo de sus vidas, los mismos hechos inquebrantables han ido cambiando incesantemente de rostro, a medida que la historia ha ido progresando tan misteriosamente como el tiempo, generando en consecuencia nuevas interpretaciones y nuevos acontecimientos que hacen que la historia, que sin embargo es todo lo que ha sido un hecho, se constituya de otros hechos, aunque siga siendo todo lo que ha sido un hecho. Al fin y al cabo, todo es todo, y siempre se puede añadir algo, por ejemplo lo que no sabíamos o no queríamos confesarnos todavía y que no por ello había dejado de ser un hecho.

La semana pasada, me encontraba en esta misma ciudad. Entonces se hablaba de Europa, y ahora se trata, una vez más, de Alemania. Contaba cómo, el 10 de mayo de 1940, a los seis años, me hice europeo por un trueno, con la invasión de las tropas alemanas. Lo voy a contar otra vez, ya que no puedo mencionar la historia de mi europeización, llamémosla así, ni la de mi relación con Alemania, y ambas están relacionadas, sin hablar de ese momento decisivo y singular. Obviamente, no es verdad que mi vida haya empezado en ese instante, pero ésa es la sensación que tengo. De la época anterior al 10 de mayo, no conservo, por inimaginable que pueda parecer, ningún recuerdo preciso. No podría escribir nunca un *En busca del tiempo perdido*, puesto que mis primeros seis años, mi infancia, se han perdido verdaderamente, han volado, ahogados bajo el estruendo de los Heinkels y de los stukas que bombardeaban el campo de aviación militar de Ypenburg, cerca de La Haya. Mi padre, que moriría en esa misma guerra, en el transcurso de un bombardeo ulterior, había instalado una butaca en el balcón y contemplaba la escena. Naturalmente, habló, pero en mi recuerdo no dice nada. Está allí sentado, mira más allá de los prados, y ve lo mismo que yo: gente que cae extrañamente del cielo, en paracaídas, que viene a «ocupar» nuestro país, por primera vez esa palabra significa algo. Más tarde, pensé, o recordé, o imaginé que mi padre me despreciaba. Yo temblaba continuamente, me tuvieron que lavar la espalda con agua helada para que remitieran las convulsiones.

Recuerdo dos tipos de ruido de avión: el gemido y el silbido infernal de los primeros días, asociados al horizonte rojo de Rotterdam en llamas, las sirenas, los disparos de la DCA, las explosiones de bombas a lo lejos; y, años más tarde, el rumor continuo y monótono, como de arco deslizándose por las cuerdas de un contrabajo tan grande como el cielo, de la flota aérea yendo a bombardear Alemania, un ruido amenazador, vindicativo, impregnado de fatalidad y de muerte, la muerte que devolvían al lugar de donde había venido. Se llamaban Lancaster, esos aviones, a los que replicarían a su vez los V2 de Werner von Braun que salían de los alrededores de nuestra casa (¡otra vez!) para lanzarse sobre Londres, grito penetrante venido de los infiernos y como surgido de un rayo apocalíptico, todo ello de la substancia de la que están hechas las pesadillas.

Unos días más tarde, las tropas entraron en el país desfilando al paso. Las tropas enemigas. Curiosamente, lo recuerdo como si el acontecimiento se hubiera desarrollado en un silencio total, lo cual es imposible. Llevaban botas, estandartes, tambores, y daban órdenes que sólo oiría más tarde, viendo películas de guerra; esos gritos despiadados que, llevados por el viento, hieren nuestros oídos. En esa época, sin embargo, sólo oí esa nada que se llama silencio, y que debía de ser el silencio de los adultos a mi alrededor, el de la derrota. Mucho más tarde, me di cuenta de que el alemán es la primera lengua extranjera que haya oído nunca, en cualquier caso la primera que haya leído. Las proclamaciones del *Ortskommandant*, las condenas a muerte en carteles pegados en los muros, la voz inevitable que llegaba de vez en cuando del exterior y que anunciaba una nueva victoria, una pancarta sobre un cadáver con la inscripción: «Soy un saqueador», los cantos de tropas en marcha que ya no cantaban en el camino de regreso... Quizá sea aquí donde empieza la falsificación de los recuerdos. ¿Quién sería capaz más tarde de diferenciar todavía el alemán de los *Kindertotenlieder* del de las órdenes, el alemán del miedo de aquel en que, muchos años más tarde, en un día de otoño resplandeciente, cerca de la bahía de Penobscot en el Maine, leí en voz alta, a petición de un sabio que se había refugiado en los Estados Unidos durante los años treinta, los *Sonetos a Orfeo* en un ejemplar que le pertenecía y que estaba a punto de desintegrarse de tanto como lo había leído y releído? ¿Quién puede, por cierto, diferenciar algo? ¿Por qué fui, a la edad de siete u ocho años, hacia el ser más aterrador de todos, un oficial alemán, para preguntarle qué hora era? Los recuerdos parecen, al fin y al cabo, formados por este tipo de imponderables, de detalles intangibles. ¿Qué mosca me había picado? La gorra alta, las botas, la cruz de hierro, la silueta emblemática, podría haber sido, me dije más tarde igual de tontamente, un Ernst Jünger. En cualquier caso, el hombre sabía qué hora era. Sacó un reloj de oro bien oculto en el uniforme y me anunció adónde había llegado el tiempo en ese instante preciso. Fin. Cada uno sigue su camino. Nada, en consecuencia, y, sin embargo, algo, puesto que todavía lo recuerdo. Pero no me pregunten por qué.

Otros acumularon en esa época otros recuerdos. A los amigos, en su mayoría algo mayores que yo, no los conocí hasta después de la guerra, ya adultos, escritores, periodistas, políticos, arquitectos. Nos contamos los primeros días y los años siguientes.

Uno se había metido en la Resistencia, volveré a hablar de él; otros, unos amigos judíos, se habían escondido en provincias durante los años de guerra, en casa de unos campesinos calvinistas que habían arriesgado sus vidas al acogerlos. Uno de nuestros amigos, único supervi-

viente de su familia, se suicidó la noche en que enterra-
mos al mayor de todos nosotros, en casa de quien nos
reuníamos siempre, un poeta que había sido deportado
a Dachau. Nos encontrábamos en casa del difunto cuando nos llegó la noticia, y recuerdo la furia con que uno
de nosotros preguntó al psiquiatra del nuevo muerto:
«¿De qué ha sido?». La pregunta, formulada en tono de
acusación, no tenía sentido alguno, y la respuesta fue
breve, la de alguien que sabe que acaba de sufrir una derrota irremediable: «He muerto de duelo».

Se supone que debo hablar de Alemania. ¿Es eso lo
que estoy haciendo? Sí, naturalmente, hablo de una Alemania, la de antaño y de entonces. Pero ¿por qué tengo
que aburrirlos con mis recuerdos? ¿Tengo derecho a
eso? No, en ningún caso, y el azar de nuestro nacimiento a un lado o a otro de una frontera estatal así como de
una frontera temporal no me da ese derecho. Sólo que,
cuando deseo abordar el tema de la Alemania actual, no
lo consigo más que a través de mis recuerdos.

Hice mi primer viaje a Berlín en 1963. Iba en compañía de dos amigos. En *La desaparición del Muro*, hablo de
este viaje, menciono el nombre de esos amigos sin decir
quiénes son. Se habían conocido en Dachau. El mayor
de ellos era un poeta, Ed Hoornik, del que acabo de hablar; había escrito, ya en 1938, un poema sobre la «Noche

de cristal» en que una frase se repetía continuamente: «Sólo hay diez horas de tren de aquí a Berlín».

Más tarde, tuvo que hacer él mismo ese viaje en un vagón de ferrocarril, había sobrevivido y, en ese momento, nos dirigíamos hacia el país de su antiguo cautiverio. No creo que detestara realmente a los alemanes, pero sus relaciones con ellos eran difíciles; la conmoción del campo de concentración, la muerte, los cadáveres habían ocupado un lugar gigantesco en su vida, parecía no poder ya participar realmente en esta vida. Una experiencia traumatizante atormentaba su memoria. Una noche, se dio cuenta en duermevela de que el prisionero ruso que ocupaba la litera de arriba le estaba robando un trozo de azúcar que conservaba celosamente. Lanzó un grito, vino un SS, y éste se llevó al ruso, que fue fusilado. En los primeros tiempos de conocerlo, a finales de los años cincuenta, mi viejo amigo todavía se empeñaba en colocar en los innumerables coches de los alemanes que iban a Amsterdam por Semana Santa unas tarjetas blancas con la inscripción: «Volved a vuestro Reich». Le pregunté por qué él, que era más bien débil físicamente (murió en la víspera de su sexagésimo aniversario, demasiado joven), se tomaba ese trabajo, y si no temía que esas tarjetas se dirigieran a personas equivocadas, a los que llamábamos en aquella época los «alemanes buenos», pero el problema no lo atormentaba. Estaba absolutamente convencido, decía, de que los alemanes buenos lo comprenderían.

¿Tenía razón? Las personas que, en el fondo, desean lo mismo ¿se comprenden siempre? El otro amigo que iba con nosotros en el coche, el más joven, describiría más tarde una experiencia distinta, a decir verdad más bien cómica. Es el hombre a quien dediqué *La desaparición del Muro*, puesto que él es quien me enseñó más sobre Alemania. Se llama Willem Leonard Brugsma, es periodista y, en 1983, describe en su libro *Europa, Europa* la experiencia siguiente:

En 1968, en la Appellplatz de Dachau, bajo el cielo de un blanco azulado de Baviera, se inaugura un monumento. Simboliza los prisioneros de los campos de concentración de veintitrés países, muertos de disentería, de tifus, de pleuresía, de hambre, de flemón, de horca, de frío, muerto en tentativa de fuga o sencillamente porque prefirieron ir directamente a los cables electrificados.

Como se trata de una inauguración oficial, desfilan orquestas militares venidas de Inglaterra, de Francia, de Bélgica y de los Países Bajos. Tocan marchas y luego el *Last Post* y *Aux Morts* para las autoridades instaladas en los asientos reservados en las tribunas. Hay ministros, prelados, embajadores, agregados militares y también un príncipe, el del reino de los Países Bajos.

Puesto que los representantes de la autoridad están en una tribuna, los contestatarios también se encuentran allí, apartados. Son jóvenes y llevan barba, gafas y pancartas. En ellas se lee que están en contra de la OTAN y el imperialismo, y también en contra de Heinrich Albertz, el alcalde de Berlín, también presente, que, aunque socialdemócrata, defiende tan bien el orden y la tranquilidad que Benno Ohnesorg lo tuvo que pagar con su vida.

El orden y la tranquilidad, perfectamente encarnados por las personalidades oficiales de traje òscuro y las damas con sombrero, se ven ahora turbados por los lemas que corean los manifestantes: «Hoy los pogroms, mañana la solución final».

Escandalizado por la última palabra, un hombrecillo que, para la ceremonia, lleva voluntariamente la estrella amarilla se dirige apresuradamente hacia los policías alemanes allí apostados discretamente, todos con el mismo uniforme verde. Les pide, acuciante: «Mátenlos».

Como la policía alemana de ahora prefiere no hacerlo, los manifestantes siguen gritando tranquilamente.


El periodista observa que forman parte de una organización estudiantil llamada Juventud Socialista Obrera Alemana (SDAJ).

Entre los silenciosos en sus asientos reservados en la tribuna y los vociferantes sin tarjeta de invitación, los «señores sin programa» y los «manifestantes sin objetivo»: unos dos mil supervivientes del *Konzentrationslager Dachau* donde antaño bolcheviques, monárquicos, homosexuales, liberales, cantantes, testigos de Jehovah, socialistas, zíngaros, traficantes de cocaína, curas, judíos, pastores y partisanos eran encerrados en un mundo de trescientos metros por seiscientos, especialmente fabricado para ellos.

También para ellos se ha erigido este monumento, y se anuncia un minuto de silencio para su inauguración. Pero a causa de los estudiantes, que no quieren convertirse en obreros pero se comportan como si ya lo fueran, no se consigue el silencio. Mucho menos, por ejemplo, que cuando se ahorcaba a rusos en aquella época. Cuando la orquesta del campo había acabado de tocar la marcha, todo se sumía entonces en un silencio tal que las personas reunidas no oían más que los mirlos silbar en los álamos de la Lagerstrasse.

El silencio es hoy interrumpido por los clamores del SDAJ.

En compañía de estos dos hombres, el poeta y el periodista, realicé mi primer viaje a Alemania; y parecía, de hecho, imposible, como si ese país procediera de un mito que ninguna carretera podía atravesar, un mito fabricado a partir de mis propios y escasos recuerdos y de los mucho más abrumadores de los otros dos, a partir de las numerosas películas de guerra que habíamos visto en casa del poeta en el transcurso de sesiones que tenían todo el aspecto de ritos de exorcismo. Por fin Alemania se hacía realidad y se parecía a lo que era: autopistas nevadas, un paisaje de helada invernal. Nada deja ver que se ha estado allí prisionero, en un campo, las VOPO cumplían pues su papel a la perfección, nos dijimos quizá «a la alemana», entre nosotros, cuando el otro Estado alemán ha estado siempre haciendo como si no tuviera nada que ver con ese pasado, como si la parte occidental pudiera expiarlo todo sola. Escudriñando la parte inferior del coche con espejos, examinando en detalle los documentos cinco veces seguidas, mandando, gritando cuando una instrucción no había sido entendida inmediatamente. Recuerdo torres de observación en la nieve, alambradas de púas, hombres de blanco caminando tras un perro jadeante, fusiles, silencio. No podía ver lo que pensaban los otros dos, se habían encerrado en sí mismos. Todo coincide, sin duda, me dije, la lengua, el otro, el mismo uniforme, la alambrada. Pero no decían nada o, mejor dicho, cuando obtuvimos la autorización para seguir nuestro camino, hablaron de la comida alemana (de *Hackepeter* y de *frische Blut und Leberwurst*, de *Eisben* y de *Maultaschensuppe*); si alguien me ha enseñado a apreciar la cocina alemana, fueron ellos; tenía la impresión de estar ante una forma chamanista y terrorífica de nostalgia o de identificación. Fue, creo, el viaje más instructivo que jamás haya tenido ocasión de hacer. Habíamos venido para la visita de Jruschov al congreso del Partido Socialista Unificado (SED), en Berlín Este; recuerdo la alfombra roja cepillada miles de veces por ancianas encorvadas, la voz aguda de Walter Ulbricht, la unanimidad de mal augurio. Tenía entonces treinta años, la guerra había finalizado hacía ya dieciocho, pero allí, en la otra Alemania, se hubiera dicho que todo había permanecido igual, que se producía una extraña prolongación y que, de un modo u otro, me encontraba a mí mismo. Íbamos y veníamos entre el Este y el Oeste y pasábamos cada día ante los puestos de guardia, vislumbrábamos de nuevo el muro que vería caer miles de años después; era la guerra y la paz, el pasado y el presente a la vez; me sentía atraído y repelido, no me encontraba en mi lugar encontrándome, a la vez, más en él que alguien cuyo país nunca ha sido ocupado, aunque sólo fuera porque lo entendía todo. Lo que me extrañaba, y sigue extrañándome, es hasta qué punto este país es distinto a los demás. Mis primeros viajes después de la guerra se orientaron hacia el sur: Provenza, Italia, España, el choque de la identificación inmediata, lo teatral, el esplendor de los decorados meridionales, la luz mediterránea. Después de las tinieblas del norte y la oscuridad tan diferente de la guerra durante la cual crecí y del siguiente período de rigor, de indigencia general, tuve la impresión de volver a casa. Sin embargo este otro mundo seguía atrayéndome, y cuando se me pregunta por qué, no lo sé y me digo a veces: quizá por su seriedad despiadada, quizá también porque pienso que el futuro, que, como saben, es un motor que todavía no ha sido utilizado nunca, se decide aquí, en el corazón de Europa, donde la potencia linda con el vacío.

En 1970, hice otro viaje, esta vez solo. Cada día anotaba un extracto de alguna obra alemana que me hubiera gustado y un título del *Bild Zeitung*, singular ocupación que dio extraños resultados como: «El juez forzó a la mujer del detenido a hacer el amor; "en la fiebre y en las cadenas, la vida resplandece, o la noche, cuando todo se mezcla, en desorden, y resurge la confusión antigua"» (Hölderlin, *Der Rhein*).

Yo mismo era presa de «confusión». Leía *Die Unfähigkeit zu trauern* (El duelo imposible) de Mitscherlich; veía a Willy Brandt, que realmente tenía razones para estar afligido y que, al mismo tiempo, preparaba la apertura hacia el Este, hoy en día tan lógica e inevitable, pero en aquella época tan imprevisible y valiente. *Die Unfähigkeit zu trauern* ¿era verdad? ¿En qué medida era posible en aquella época, para los demás países, Japón, por ejemplo, o Italia, realizar su trabajo de luto? Yo dudaba, sabía poco sobre Alemania, conocía en aquel entonces a poca gente; curiosamente, el libro me parecía en sí una razón para dudar, ya que deplorar públicamente la imposibilidad de estar enlutado es también una manera de expresar tristeza y, veinte años después, puedo afirmar que no conozco ningún país donde se preocupen del pasado como éste. Sé que no es lo mismo que un luto, pero de todos modos... Y había, ya en aquella época, otros signos. Acudí, arrastrado sin duda por una fascinación algo morbosa, a una asamblea general anual del NPD[1], en el que algunos de mis compatriotas veían ya un nuevo peligro; y vi que no era, en ese momento, más que un pequeño partido marginal de nostalgia y de rencor, rodeado por la prensa y las cámaras de televisión, que hacían como si realmente ocurriera algo. Fuera, en el frío, había un grupo de jóvenes manifestantes con una pancarta del Instituto Bonhoeffer, muralla contra el fascismo, y esos jóvenes me parecieron más importantes que el movimiento nostálgico del interior.

Mi viaje se terminó en Bad Godesberg. Un acontecimiento que había tenido lugar allí tenía relación, aun-

[1]Nationaldemokratische Partei Deutschlands: partido de extrema derecha fundado en 1964 y prohibido desde diciembre de 1992.

que distante, con mi vida, y quería visitar ese sitio, el Rheinhotel Dreesen. Entré por la misma puerta por la que habían pasado Chamberlain y Hitler. El interior blanco y acomodado estaba lleno, en esa tarde de domingo, principalmente de damas que tomaban pastelillos, triturando con sus dientes los espectros del pasado. Por todo el mundo existe una categoría de damas que siempre sobrevivirá a todo. En *Auge y caída del III Reich* de William Lawrence Shirer, se describe todo el juego de la oca: cómo Chamberlain propone sus concesiones, que ya encubrían de hecho la traición de Checoslovaquia, cómo Hitler rechaza lo que había empezado por exigir, farolea, chantajea, amenaza. Shirer describe qué aspecto tenía en esos días, al borde de la depresión nerviosa, realizando curiosos brincos en la terraza que daba al río, con un tic incontrolable en el hombro derecho, acompañado por un pequeño salto de la pierna izquierda. En el vestíbulo se encontraban Göring, Goebbels, Ribbentrop y Keitel, que se preguntaban si habría guerra. Hubo guerra, once meses después, la de los recuerdos y la de la gente a la que se arrebataría incluso los recuerdos; y, para concluir, la mía: una experiencia tan limitada, que nada tiene que ver con la de los demás y que, al mismo tiempo posee la misma densidad que el futuro recuerdo de un niño de seis años que viva actualmente, en 1991, en una ciudad sitiada de Croacia, en una de las numerosas salas de la casa de Europa.

¿Y ahora? En 1989, el Servicio Alemán de Intercambio Académico (DAAD) me invitó a pasar un año en Berlín. Así fue como volví a este gran monumento ruinoso, esta ciudad dividida, este recuerdo viviente, y eso precisamente en uno de los pocos momentos de la vida de una persona en que la historia y el presente no están espaciados por ningún intervalo; en que, por una vez, constituyen juntos todo lo que ha sido un hecho; en que su existencia es arrastrada por el curso de los acontecimientos, en una simultaneidad alquímica. Vi el beso de Gorbachov a Honecker que marcó el fin de éste; vi a los rusos rodear la RDA, donde se encontraban todavía sus tropas; vi caer el muro y cómo dos ciudades y dos países empezaron a mezclarse, tan progresivamente, tan dolorosamente, y recordé las palabras que mi amigo ya había escrito en 1983 desde Natzwiller y Dachau:

La división de Alemania es la división de Europa. La inversa es igual de válida. Una no puede ser abolida sin la otra. Quizá Europa siga optando por el statu quo. Pero los alemanes no podrán seguir así eternamente. ¿Nuevas causas de inquietud? Sólo si los aliados niegan este deseo legítimo y bloquean la única vía en Europa que conduce hacia el cumplimiento de este deseo.

El dilema nos ha sido ahorrado, digo ahora, a mi vez, gracias a Gorbachov, el único que ha tenido el valor de sacar conclusiones del fracaso del comunismo de Estado, cuya amplitud catastrófica estaba más que nadie en medida de juzgar. Mi amigo proseguía en 1983:

He necesitado, por mi parte, cierto tiempo para reintegrar Alemania en esta Europa de todas mis patrias. Los alemanes me han ayudado a ello. (...) Han hecho que pueda, contrariamente a Heine, dormir de nuevo tranquilo, cuando pienso en Alemania por la noche. Incluso cuando duermo en Alemania.

Yo no sabría expresarlo mejor que él. En mi país, fue uno de los primeros y más importantes partidarios de la unidad alemana. En Alemania, oía, al mismo tiempo, otras voces. Cuando doy una conferencia, a menudo vienen jóvenes a preguntarme: «¿No siente miedo de nosotros? ¿Es que no ve los síntomas? ¿No teme la potencia de una Alemania unida?». Mi respuesta sigue siendo no. Quizá vean un abismo en su propio país, o en ellos, que no me resulta posible ver, quizá estemos ciegos ante los demás, o locos, pero no lo creo. Ya nadie puede arrancarse de Europa sin herirse, tampoco Alemania, y no se puede quebrantar tan fácilmente las estructuras que se han ido constituyendo aquí en el transcurso de los últimos cuarenta años. Por mi parte, he vuelto o, mejor dicho, he permanecido, me he ido y he regresado, pero eso no tiene nada de extraordinario en lo que a mí respecta, también lo hago en mi propio país. El caso es que hoy vivo de nuevo en Berlín, la mayor sala de espera de Europa. Todos los que viven en ella dan la impresión de estar esperando algo, y todos los que no viven en ella esperan ver qué puede ser, una perfecta metáfora de la *condición humana*, me parece. Así que todavía me quedaré aquí un tiempo.

Discurso pronunciado en el Auditorium Maximum de la Universidad de Munich, en noviembre de 1991.

# Tres fábulas europeas

En la isla española en la que vivo, cada pueblo celebra en verano su santo patrón. Mozos y mozas, el cura del pueblo y el marqués recorren las calles a lomos de caballos negros. LLevan bicornios y pantalones blancos y parecen gentes de otras épocas. El origen de estas fiestas se encuentra sin duda en antiguos ritos paganos, son la despedida al verano, el anuncio del invierno que, en estas islas, solía ser largo y duro. El barco no iba hacia el continente más de una vez por semana, y el trayecto duraba catorce horas por lo menos. La mayoría de los habitantes de la isla nunca había salido de ella, y este aislamiento se transluce todavía en el carácter de la gente y en el salvajismo de las fiestas. Los caballos avanzan al ritmo de una música hechizante, siempre la misma, los jóvenes del pueblo ejecutan un baile provocador con los caballos, que se encabritan, y los jinetes deben evitar los danzarines humanos al volver a bajar. Ese pandemonio dura tres días, y la fiesta se termina con gigantescos fuegos artificiales. Viene gente de todos los demás pueblos, y una orgía de ruido y chispas brota en el cielo, suficiente como para expulsar a todos los malos espíritus durante un año. Ese año, todo el mundo consideró unánimemente que los fuegos artificiales habían sido decepcionantes, y que ello era debido tanto a la crisis como a las condiciones meteorológicas, considerando a la propia crisis como una especie de fenómeno climático. No había llovido, pero soplaba un viento violento. De este modo, en el momento justo en que los fuegos artificiales inscribían en el cielo de la noche el círculo estrellado de Europa, una ráfaga separó bruscamente las doce estrellas, dispersándolas por el cielo, donde, como suele ocurrir con los fuegos artificiales, centellearon todavía un instante para apagarse luego y fundirse con las tinieblas, gesto retórico del azar meteorológico. Adiós, Europa, oí exclamar a alguien detrás de mí, y existía la sensación de que eso era lo que significaban esa única frase corta y las últimas estrellas, para entonces diseminadas como lluvia de ceniza: expresaban una parte de la decepción, la amargura, la impotencia, la indiferencia, el rechazo que hoy en día se asocian, lo queramos o no, a la palabra sagrada «Europa». ¿Adónde ha ido a parar Europa? ¿Dónde ha desaparecido? ¿Quién se la ha llevado?

Permítanme contarles tres fábulas. No corresponden a la realidad, eso nunca ocurre con las fábulas, pero expresan mejor lo que quiero decir que las disertaciones políticas ex cáthedra, que por lo demás no son de mi estilo ni de mi competencia.

En un gran club elegante pero algo deteriorado, como los que se ven en Londres, estaban reunidas las monedas europeas. Cada día, en una sala vecina, se les tomaba la temperatura, que luego se anuncia fuera, en un cartel, a la atención de los mercados bursátiles, los bancos y los especuladores. No les extrañará si les digo que, a pesar de su nombre, todas ellas eran hombres. No sé si alguna vez se han figurado físicamente el marco o el florín, pero comparados con el dracma y el escudo, sin hablar del dinar, del leu y el zloty, exhibían una salud floreciente, por no decir provocadora. «Menudos chulos, esos dos», dijo la libra esterlina al franco francés, quien desde hace ya un tiempo intenta llamar la atención del marco. El franco no respondió y se levantó al ver llegar al rublo. «Siempre he dicho que esto no llevaría a ninguna parte», masculló la libra. Pero el florín, que la había oído, dijo: «¡Pues te has esforzado lo tuyo, para ponernos en este trance!». La peseta también estaba descontenta. «Primero nos dicen que podemos participar», se quejó a la libra, «y luego, de repente, ya no estamos a la altura. Una hace lo que puede durante años, se cree lo que le dicen y luego van y te salen con que no has ahorrado lo suficiente, que no ganas bastante y que, quizá, si te portas bien, podrás volver dentro de unos años...». «El más influyente debe tener más peso en la balanza», comentó la lira con aire ausente mientras se esfuerza en mantener a distancia el lek albanés y, al mismo tiempo, en imaginar algo inteligente que decir al marco. En ese momento, la puerta se abrió bruscamente, y un joven con chándal entró al trote. «¡Dios mío, lo que faltaba!», suspiró la libra dirigiéndose al franco suizo. «¡Y pensar que vamos a tener que encanallarnos con este intruso, este advenedizo!»

El ecu, pues de él se trataba, pareció no haber oído el comentario, ya que dio una estrepitosa palmada al hombro de la esterlina, lanzando un «¿Qué tal, hombre? ¿Mejor? ¿Y la señora Thatcher?», y siguió directamente hacia el marco y el florín, que parecían esperárselo más o menos. «¿Puedo hablaros en privado?», preguntó. «Acabo de ver al dólar y al yen en McDonald's y me han dicho...» El resto, no lo pudo oír la asamblea ya que, en ese momento, el florín, reuniendo todo su valor, se acercó al ecu. «¿Me puede dedicar unos instantes?», inquirió. El ecu miró al marco, consultó su reloj y dijo: «Lo siento, amigo mío, de momento no. Deje un mensaje a mi secretaria».

Aproximadamente en el mismo instante, pero en el arsenal de Viena, donde se encuentra el museo del ejército, las viejas batallas europeas celebraban su reunión anual. Todo el mundo estaba allí, desde la batalla de las Termópilas hasta la de Lepanto, el sitio de Leyde y la batalla del Somme, Estalingrado y la ofensiva de las Ardenas. La atmósfera era cordial. Los señores (los campos de batalla también pertenecen al sexo masculino) estaban sentados, inclinados sobre un mapa de la ex Yugoslavia, y parecían muy atareados con banderines de distintos colores. «Ya te lo dije», dijo Monte Casino a Austerlitz, «Europa sigue siendo Europa y, si deja actuar a esta gente, lo seguirá siendo por mucho tiempo». «Lo que es una locura», dijo Waterloo a Arnhem, «es que sea otra vez Sarajevo. ¿Tú te lo esperabas? Mira el mapa que están planeando, ¡Balfour y Palestina no son nada, comparados con esto!». «¡Esto es cosa de los ingleses!», dijo Trafalgar, muy ufano. «No hay que minimizar la parte alemana», dijo Verdún. «Si no hubieran reconocido tan rápidamente Croacia, no se habría armado nunca este estropicio». «Ya se veían allí», dijo Troya a Hastings. «Siempre se comete el mismo error: no se tiene en cuenta el factor humano.» «Exactamente», dijeron Poitiers y Sagunto. «Lo que hace falta es una consciencia histórica, el que desee vivir sin memoria siempre acabará entre nosotros. ¿A alguien le apetece un oporto?»

Hace unos cincuenta años, vivía en Francia un joven compositor. Una noche, soñó que le pedían que escribiera el himno de la nueva Europa. La felicidad que sintió entonces no existe sino en los sueños, como no podemos volar más que en sueños... Y volaba, planeaba sobre las blancas extensiones de nieve de Finlandia, las altas cimas de los Tatras, a lo largo de los fiordos de Noruega y por encima de las planicies de Holanda. Vio la dulce Umbría y la laguna de Venecia, se cernió sobre el foro romano, sobre la Acrópolis, pasó por los muros rojos del Kremlin, siguió las riberas del Tajo por España y Portugal, y durante todo ese trayecto estuvo oyendo la melodía de su himno, que iba cantando sin letra. Y, con esa lucidez que se tiene en los sueños, sabía que en su himno todas las oposiciones se conciliarían y que, al mismo tiempo, nada de la grandeza ni de la amargura del pasado quedaría borrado de la melodía, que abarcaría los descubrimientos y las batallas, las palabras de Sócrates y los poemas de Ovidio, los escritos de Rousseau y los cantos de Mahler, el pintor de *La ronda nocturna* y el organista de Leipzig, la biblioteca de Erasmo y el recuerdo de Goethe, las abadías y las catedrales estarían presentes en ella, y también los martillazos de Wittenberg, la sinagoga de Amsterdam y el peregrinaje a Santiago de Compostela, el fuego de la hoguera de los herejes y los gritos del dictador, el susurro de Romeo y la conversación con Sancho Panza, los salmos de Cluny y la guitarra de Sevilla, el infierno y el cielo de un pasado que aparecería sin fin teniendo como fondo sonoro el murmullo de los millones de conversaciones que un día tuvieron lugar en esta parte del mundo, las entonaciones de lenguas venidas de los cuatro puntos cardinales, las palabras diseminadas, olvidadas para siempre y memorizadas para siempre, los lamentos de los campos de concentración, las aclamaciones de la liberación, el restallido del látigo de la sentencia, el canto del vagabundo solitario en la carretera campestre. Y, mientras oía todos esos sonidos por separado, cantó en sueños el himno que los reuniría, escribió las notas para los instrumentos, que serían treinta y uno, uno por cada país de su región del mundo, ya que no le gustaba la dodecafonía en política. LLegó el día en que su himno debía ser tocado por primera vez. La sala de su sueño se parecía quizá a ésta, y la orquesta, a la de aquí. Lentamente y en medio de un gran silencio, se dirigió hacia su atril, miró a los músicos y alzó su batuta.

Dio la señal del primer compás, pero por lo que oyó entonces, debió de pegar un grito espantoso en su sueño, ya que una lamentable cacofonía se elevó para dar paso, al cabo de unos cuantos compases, a un silencio estupefacto… Y, con la lógica implacable de los sueños, supo lo que se había producido: cada uno de los músicos, en lugar de tocar la nueva melodía, había acometido los primeros compases de su antiguo himno nacional: el *Deutschland über alles* con *La Marsellesa*, el *God save the Queen* con *La Brabançonne*, y eso multiplicado por treinta y uno.

Lo repito, las fábulas son sencillas, no expresan la verdad, sino un sentimiento. ¿Dónde está la Europa con la que hemos soñado durante tantos años? ¿Dónde ha desaparecido? ¿Quién se la ha llevado? ¿Los serbios? ¿Los especuladores? ¿Los decidores de no daneses? ¿Los agricultores franceses? ¿Los obreros de las acerías polacas? ¿Los pescadores españoles? ¿Los políticos impotentes con sus palabras vacías? ¿Los muertos de Sarajevo? ¿Las minorías? ¿Los neofascistas? ¿Los parados de Alemania del Este? ¿La Bundesbank? ¿Los euroescépticos ingleses? ¿Dónde está? ¿En Bruselas o en Londres? ¿En Atenas o en Kosovo? ¿O quizá, a pesar de todo, en Maastricht? Si sigue en vida en alguna parte, nos gustaría recuperarla, no la Europa del Mercado y de los muros, sino la Europa de los países de Europa, de todos los países europeos. Un día, un erudito alemán, Helmuth Plessner, escribió un libro titulado *Die Verspätete Nation* (La nación retrasada). Fue en los años treinta, y nadie lo escuchó. Deberían devolvernos nuestra Europa antes de que realmente sea demasiado tarde.

Discurso pronunciado en Munich con ocasión de un mes de conciertos europeos con la Concertgebouw Orkest, en el otoño de 1993.

# BIBLIOTECA
# DE ENSAYO

I.S.B.N.: 84-7844-295-2
Dep. Legal: M-30355-1995
Impreso en GAEZ, S.A.